孤独を生き抜く哲学

小川仁志

河出書房新社

精神の豊かな人はなによりもまず、苦痛のないこと、ぶざまな姿にならないこと、平穏と閑暇《かんか》を、つぎに静かで控え目な、それでいてできるだけ人に非難されないような生活を求める。したがってこうした人は、いわゆる人間といくらか知り合いになったあとは、世捨人の生活を求める。偉大なる精神の持主になると孤独を選ぶようになる。

ショーペンハウアー

はじめに

本書の冒頭に挙げたのは近代ドイツの哲学者、ショーペンハウアーの『孤独と人生』（金森誠也訳、白水Uブックス）からの一節です。孤高の哲学者として、権力にもなびくことなく、また愛情さえ押し殺して、ただ一人思索の道を歩んだ人物の言葉です。

この言葉を聞いて、みなさんはどんな印象を持たれたでしょうか？

寂しい？　かわいそう？

私は決してそう感じませんでした。

ショーペンハウアーは客観的に見れば明らかに孤独な哲学者です。でも、そんな生き方をあえて選んだ彼の心には、なぜか力強いものを感じざるを得ません。

いま、「孤独」をテーマにした本が増えています。裏を返すと、それだけ孤独な人が増えているということでしょう。

私はNHK・Eテレの「世界の哲学者に人生相談」に指南役でレギュラー出演している関係か、悩み相談をよく受けます。

連載している『週刊エコノミスト』の「小川仁志の哲学でスッキリ問題解決」にも人生相談が寄せられますが、ここでの私のプロフィールは「元ひきこもり」を前面に打ち出しています。というのも、読者から寄せられる悩みにもひきこもりの話題が増えているからです。

いずれの相談にも共通する最近の特徴としては、孤独に関する悩みが多いことが挙げられます。まずはいくつか事例を紹介したいと思います。

勤務先の山口大学の男子学生ですが、私の授業を受けていたことがきっかけで、キャンパスで顔を合わすたびに話すようになりました。

彼は県外から来てもう1年経つのに、いまだに友だちができないと悩んでいました。話を聞いてみると、別にいじめられているわけではないようでした。ただ、他の友人たちがつるんでいる中で、自分だけがいずれの輪にも入れないというのです。

そこで、人と親しくなるためのノウハウやコミュニケーションのとり方についてアドバイスしていたのですが、どうやら、そもそもそういう輪には入りたくないと言います。一度彼を学食で見かけたことがあります。一人でランチをとっていました。隅っこのほうで隠れるように。

彼は孤独なのかもしれませんが、人とつるむのが嫌なら仕方がありません。「いっそ一人でいることを楽しんだらどうか」と言ったのですが、一人でいることをつらく感じると言うのです。

みんな輪をつくっているのに、自分だけ一人なのは気になると。だから友だちをつくらなきゃと焦ってしまう。もしそうだとするなら、一人でいることが問題なのではなく、むしろ一人でいることをつらく感じてしまうこと自体が問題なのではないでしょうか。

私たちはつい、孤独な状況が問題だと思いがちです。でも、本当に問題なのは、孤独に悩む自分自身であるように思うのです。

次は、20代前半の新入社員の方です。上京してきたけれど、周囲になじめず友だちもできない。週末は家に閉じこもってネット三昧《ざんまい》だと言います。このまま一生孤独かと思うと不安になるという相談でした。

この状況は多くの人が経験しているのではないでしょうか。進学でも就職でも、田舎から都会に出てきたばかりだと知り合いもいませんし、家族や友だちと離れたばかりなので、余計に自分の置かれた状況が際立ちます。

私にも経験があります。ホームシックになったのです。でも、そのうち慣れました。私の場合は友だちができたからです。一人暮らしですから、一人の時間に慣れたということもありました。

これも逆転の発想ですが、もしネット三昧の生活や一人での人生を楽しめたとしたらどうでしょうか。孤独であることはそんなに苦しいことなのでしょうか。

孤独に悩むのは若い人だけではありません。最近問題になっている中高年のひきこもりの例を紹介しましょう。

40代半ばの無職の男性ですが、一人っ子で、年老いた両親と共に住んでいます。家庭菜園をしたり、漫画やアニメを見たりして毎日過ごしていると言います。ただ、この方の場合はずっとそのままの状態でいいと思っているようです。ですから、客観的には孤独ではありません。でも、世の中ではこうしたひきこもりの事例は孤独の問題として扱われます。

市民と哲学的対話を行う「哲学カフェ」で孤独について話し合ったときも、まさに似たような事例がありました。そのときの参加者の中には、こういう積極的なひきこもりを周囲が勝手に孤独と決めつけるのは問題だと言う人もいました。

社会に出たいのに出ることができないひきこもりは、たしかに問題でしょう。それに対して、自分が出たくないと思っていて、かつそれで生活していけるなら、別に問題視しなくてもいいように思います。

ひきこもりイコール孤独、だからなんとかしなければ……という風潮があるからでしょうか。もっと丁寧に状況の分析をする必要があるように思えてなりません。

年配の方の事例もあります。この方は私の知り合いですが、夫婦二人暮らしでどちらも高齢です。「子どももいないので、どちらかが死んでしまうと、孤独になってしまう。だから孤独が不安だ」と言われるのです。とくに孤独死したくないと。

でも、**死ぬときはどうせ一人**なんですよね。その方にどうして孤独死したくないのか聞いてみると、少し困った表情を浮かべた後、「そりゃ嫌でしょう」と言われました。きっと、世間が問題視しているから嫌だと思われているのではないでしょうか。

人生100年時代といわれるいま、大家族で住むようにでもならない限り、一人で死んでいくことがもっと普通になってくるようにも思われます。果たしてそれはそんなに恐れることなのでしょうか。

一人で時間を過ごすことと孤独はイコールではありません。誰といようと、どんな状態にあろうと、自分の心が孤独を感じていれば、それは孤独なのではないでしょうか。孤独は気持ちの問題ですから。だからこそいつも思うのですが、本当は孤独であることに悩む必要などないのです。

まず誰もが感じることなので、決して特別な状態ではないということです。そして、あくまで自分の気持ちの問題なので、それによって人に迷惑をかけているわけでもありません。したがって、自分さえそれでいいと思えれば問題は解決するのです。

最初にはっきりと断っておきますが、私は孤独が悪いことだとは決して思っていません。いわば孤独を飼い慣らすことで、それを正のものにすればいいのです。**「ポジティブな孤独」**と表現することもできるでしょう。

私がこんなことを言えるのは、あくまでネガティブな孤独を経験したからです。私自身が人生において孤独を経験したことで、孤独の負の側面だけでなく、正の側面を実感しているからです。

もっというと、**本当の幸福は孤独の中でしか得られないことを、身をもって経験しているからです。**

私が孤独の苦しみから救われたのは、「哲学」のおかげです。哲学に出逢ったことで、孤独な時間を楽しめるようになったのです。

もう二度と孤独に苦しむ状態に陥らないように、上手に一人になれるよう努力しているのです。それさえうまくできれば、孤独は私たちに優雅な時間と心の余裕を与えてさえくれます。

誰だって一人になりたいと思うことがあるのではないでしょうか？　でも、いざそうしようと思うと簡単ではないですよね。

そこで本書では、一人になってポジティブな孤独を楽しむための方法をお話ししていきます。哲学者が説く孤独のススメです。

この本によって読者のみなさんが、**ネガティブな孤独をポジティブな孤独に転換し、一人で過ごす時間をもっと前向きで有意義なものにしてもらいたい**と思っています。

あるいは孤独に偏見を持ち、人とつるんでばかりいる方には、一人で過ごす時間の貴重さを感じてもらいたい。そうして自分と向き合うことで、自分自身がどれだけ成長するか、そのことを実感してもらいたいと思うのです。

孤独の負の側面ばかりが喧伝《けんでん》されるこの歪《ゆが》んだ〝つながり強迫社会〟で、孤独になることを恐れているすべての日本人に対して、ぜひ勇気と希望を与えたい。それが本書の目的です。

少し変な言い方ですが、みんなで一緒に孤独を楽しみましょう！

小川仁志

孤独を生き抜く哲学

目次

第2章 哲学から孤独を考える

第3章 孤独はなぜいいのか？（7つの効用）

第4章 孤独の達人に学ぶ

第5章

ポジティブな孤独のレッスン（7つのステップ）

第1章

誰もが孤独を生きている

現代は孤独に悩む時代

孤独を感じる社会的背景

まず孤独の実態について見てみたいと思います。現代社会においてはどのような孤独が問題になっているのか。

「少子高齢化」「結婚観や家族観の変化」「テクノロジーの進化」「人生100年時代」といった社会的背景のもと、新しい時代・令和は、まさに孤独の時代とさえいえる状況になりつつあります。

つまり、私たちが求めてきたもの、そして生み出してきたものは、意図せずして集団から個人へ、さらには孤独な個人へと人間の存在の仕方を変えてきたのです。少なくとも日本においては。「核家族」や「個人主義化」といった言葉が叫ばれた時代も、人々の間に一種の危機感はありましたが、そこに歯止めをかけることはできませんでした。

その結果、ついには孤独な個人を大量に生み出す結果になってしまったのです。〝ぼっち〟や〝おひとり様〟として生き、孤独死という最期を迎える生き方です。「令和」という言葉自体は政府が説明したように、人々が美しく心寄せ合うというニュアンスを帯びたいい言葉だと思います。しかし、実態はその真逆で、「零和」になりつつあるのです。心寄せ合う機会などゼロの、個人が孤独に生きる時代です。

①少子高齢化

少子高齢化が叫ばれて久しいですが、これに対して、もっと子どもを産めば解決するなどの意見はさすがに減ってきています。なぜなら、**社会が成熟してくると、人口が減るのは仕方がないからです。**ましてや生産性ということでいうと、より少ない人数でテクノロジーを活用しようという時代ですから、数で労働力を補う発想にはなりません。

そんな中、少子化が進むということは、子どもがいない家庭や一人っ子の家庭が増えることを意味します。それはかつての「サザエさん」的なにぎやかな家庭とは異なり、大人も子どもも一人で過ごすことの多い家庭を生み出す結果につながります。

また高齢化が進むということは、独居の高齢者が増えることを意味します。夫婦二人揃って同じ時期まで生きることはあまりないでしょう。結婚しない人も増えているので、そもそも一人で長い人生を過ごす人も多くなるはずです。

子どもも大人も、高齢者も一人で過ごすなら、みんな一緒に過ごせばいいじゃないかと思われるかもしれませんが、個々人の価値観が多様化する中にあって、そう単純に足し算のような解決策にみんなが合意するとは思えません。そうなると、少子高齢化自体が、孤独な社会をもたらす一因になってくるのです。

日本は少子高齢化の先進国だとかモデルだなどといわれますが、その意味では今後は孤独な社会のモデルにもなり得るわけです。

これまで少子高齢化は、経済の面や社会保障の面だけから問題視されてきましたが、孤独との関係で議論する必要に迫られているのです。つまり、ますます増える孤独な子どもや高齢者が、いったいどうやって一人の時間を過ごし、それでもイキイキと生きていけるのか考えなければいけません。

少子高齢化という社会の喫緊《きっきん》の課題に対応するために、少子化対策担当の大臣を設けたように、孤独問題担当の大臣を設けることを検討してもいいでしょう。現にイギリスではすでに「孤独担当大臣」が新設されました。少なくとも少子高齢化によって引き起こされる孤独の問題をどうポジティブな方向に転換していくか、政府も知恵を絞る必要があるということです。

②結婚観や家庭観の変化

少子高齢化の問題は、結婚観や家庭観の変化にも大きな影響を受けています。そしてそれがまた少子高齢化とは少し異なる文脈で、孤独にも影響を与えているといえます。

先ほど「サザエさん」的な家庭と表現しましたが、三世代が同居したり、兄弟姉妹が三人もいたりという家庭は、かつては当たり前でした。私の子ども時代もそうでした。男三人兄弟ですし、一時期は三世代同居もしていました。周囲にもそういう子たちがたくさんいましたが、いまは逆です。

国勢調査でも三世代世帯の割合は１９８０年が12・２％で、ずっと減り続けています。まさに私が10歳のころです。その後、２００５年の調査ではわずか６・１％にまで減っています。ちょうど私もそのころ子どもが生まれて親になったわけですが、たしかに三世代同居でかつ子どもが３人もいるような友人はあまりいません。

それどころか、50歳前後でも結婚していない友人がたくさんいます。これは若い人だともっと多くなります。学生たちと話していても、驚くほど結婚願望がないのです。晩婚化、未婚化、単独世帯の増加。いま、結婚観や家庭観は大きく変わってしまっています。その背景にあるのはやはり価値観の多様化だといっていいでしょう。

戦前までは結婚するのが当たり前でした。いまのように憲法で男女平等が定められているわけでもなく、女性は男性の家に嫁いで養ってもらうのが常識だったのです。それは家庭こそが社会の基礎であり、そこで子どもを産んで社会の担い手を育てなければならないという共通認識があったからです。いわゆる日本の共同体主義の表れだといっていいでしょう。

ところが、西洋の影響もあって戦後徐々に社会が個人主義化していき、いまやそんな発想をする人は〝生きた化石〟と化しています。女性も社会進出し、別に経済的に男性に頼る必要がなくなれば、その点でもわざわざ結婚をする必要はなくなってきます。ましてやテクノロジーの時代ですから、一人で不便ということもほとんどないでしょう。

そうなると、なぜ結婚する必要があるのかという話になってくるわけです。

もちろん、人を愛することは結婚とは別ですから、恋愛はするのです。その人とずっと一緒に過ごしてもいいでしょう。でも、結婚する必要はない。いや、むしろそれは自分を縛る面倒な行為ですらある。そのように考えるのももっともです。

日本の結婚の場合、戸籍に記載されるので、一度結婚すると別れたくてもそう簡単にはできなくなるのです。

誰かのことが好きでも、ずっと一緒にいたいとは限りません。一人で生きたい時期だってあるかもしれません。そういう意味で、**結婚は孤独になる自由すら許してくれないのです。**

結婚観の変化に伴って、必然的に家庭観も変わってきます。いま子どもがたくさんいる家庭や、親と同居している家庭のイメージを抱く若い人はほとんどいないでしょう。自分もそんなところで育っていないのに、それが家庭のモデルになるわけがないのです。

何より、**子どもを育てるのにお金がかかる時代ですし、親の面倒を見るのにも当然お金がかかりますから、人がたくさんいる家庭は大変だという意識が先立つのです。**

とすると、一番人が少ない単独世帯を選ぶのも納得がいきます。こうして結婚観や家庭観の変化も孤独につながってくるのです。

③テクノロジーの進化

テクノロジーはこれまでも徐々に発展してきました。その意味では新しい状況とはいえません。しかし、孤独との関係で無視できないのがインターネットや人工知能（ＡＩ）といったますます便利になるテクノロジーの主役です。

インターネットは平成の30年の間に完全に私たちの生活インフラとしても主役の座を射止めました。そして令和の時代には、「５Ｇ」と呼ばれる高速大容量の通信システムのおかげで、異次元の役割を果たすことが期待されています。

おそらく今後は、生活や仕事に必要なものは何でも自分のスマートフォンやパソコンから操作できたり、遠隔サービスを受けられたりするようになるでしょう。

そうすると当たり前のことながら、人は外に出なくなります。誰だって面倒な通勤、あるいは通学でさえもやりたくないでしょう。移動は時間の無駄でもあります。だから**人に会うこともなく、一人で部屋で過ごす時間が長くなるのです。**

外の世界のリアリティは、ＶＲ（Virtual Reality）やＡＲ（Augmented Reality）など

の技術によってバーチャルに経験することができます。いや、外に出るよりもよりリアルな、そして時にリアルを超えた超現実さえ経験することができるのです。

それは人とのコミュニケーションに関しても当てはまります。**リアルな人間と接しなくても、「リアルな」バーチャル人間と接することも可能になるのです。**

そんな中でいったいなぜ外に出る必要があるのでしょうか。人々は孤独に部屋に閉じこもって生きるのが当たり前になるのではないでしょうか。

そうすると、もしかしたら「孤独」という言葉もなくなるかもしれません。それが当たり前なのですから。事の善しあしは別として、そういう現実の到来をも前提にして、私たちは孤独という現象を議論していかねばならないのです。

外に出て人とコミュニケーションしなくてもいい状況をつくり出している最大の原因は、なんといってもＳＮＳでしょう。

いまやほとんどの人が、ＳＮＳでメッセージを送るだけの人づき合いを主にしています。「いいね！」をクリックするだけのつき合いといってもいいかもしれません。それをつき合いと呼ぶならの話ですが。

あるいは他人の日常の投稿を見るだけでつながりを感じてしまう人さえいます。

その意味では、**SNSは人とつながることを目的にしていながら、逆に孤独な人を生み出す巨大な装置と化しているようにも思えます。**SNSはまさにそうした社会に拍車をかけているように思えてならないのです。

もちろん、私も使っていますから、決してSNSが悪いとは言いませんが、ツールであることを超えて、それ自体が目的化している点が問題なのです。

たとえば、SNSでつながっていないと不安を感じるというのは、もはやSNS自体が目的化しているといっていいでしょう。コミュニケーションツールというのは、必要なときだけ使うものです。必要・不必要にかかわらず、使わないと生活が成り立たないというのは、目的になっている証拠です。

さらに問題なのは、そのコミュニケーションツールが、真の意味でのコミュニケーションを可能にしてくれるものではないという矛盾です。

かくして私たちは、SNSがインフラとして広がれば広がるほど、不可避的に孤独な日常を強いられるようになっているのです。そうとは意識していなくても、人との真の意味でのコミュニケーションが減っていくということです。

場合によっては、そのせいで、いやそのおかげで家から出なくても生活できるようにさえなる。それがひきこもりの一因にもなっているのは事実です。

④人生100年時代

人生100年時代。今後は医学の進展もあって、健康寿命が延び、誰もが100年を生きる時代だといわれています。それは単にいまの平均寿命が20年ちょっと延びるという単純な話ではないのです。

はっきりいってこれまでは人生60年時代だったのではないでしょうか。つまり、60歳で定年を迎えるまでがむしゃらに生きる。あとは引退という名の消化試合。

そういうと過激に聞こえるかもしれませんが、日本ではずっとそれが現実だったのです。だから老後の福祉は若い人にとっても国にとっても負担として受け止められてきたのです。あたかも60歳より後の人生が社会にとって負担であるかのように。

ところが、人生100年時代というのは、人生の最期を迎える直前まで活躍できる時代なのです。ということは単純に考えても、人生はこれまでの倍くらいになりますし、ある意味では3倍にも4倍にもできるのです。なぜなら、仕事や生き方を変えることを第二の人生や第三の人生と呼ぶように、いくつか仕事や生き方を変えれば、人生はそのつど更新されていくからです。

では、そんな人生１００年時代に、なぜ孤独が問題になるのか？

まず**人生の時間が長くなります。それに伴って、一人でいる時間も相対的に増える**と思うのです。先ほどのテクノロジーの発展による部分も大きいといえます。

あとは疲れるということです。**人間はずっと人といると疲れる**ものです。

一日の中でも、時には一人になりたいことがあると思います。人生１００年時代においては、それが数か月や1年、時には数年というスパンで生じる可能性があるのです。ふと1か月ほど一人旅をするとか、どこかにこもるとか。もっと現実的なことでいうと、一人海外に勉強しに行くとか。そんなことが起こるのではないかと思っています。

それも孤独に入るのかと思った人もいるかもしれません。孤独というと、いかにも誰とも接することなく部屋に閉じこもるイメージがありますから。もちろん、それも孤独です。でも、孤独という言葉にはさまざまな側面があるのです。とくに現代社会においては。

ひきこもりは競争社会の弊害

ここで現代の孤独の実態の一側面として、ひきこもりの問題についても触れておきたいと思います。ひきこもりやニートというのも、現代社会の孤独を象徴する現象だといっていいでしょう。

何もしないで家にいるというのは、どう考えても孤独です。でも、そういう生活を送っている人がたくさんいます。しかも若者だけでなく、中高年も。40歳から64歳までの中高年のひきこもりが61万人もいるというニュースは、社会に衝撃を与えました。あくまで推計なので、実際にはもっとたくさんいるのでしょう。若い人も入れると、いったいどんな数になるのか……。

先ほどSNSが人と会わなくてもコミュニケーションできる環境をつくっていると書きました。ただ、それでも普通は人と会うものです。そこをあえてやらないというのは、別にもっと大きな理由があるはずなのです。

私もひきこもり経験者だからわかるのですが、ひと言でいうとそれは競争社会がもたらす弊害なのではないでしょうか。

競争社会である以上、「負け組」が出てきます。負けた人、とくに徹底的に負けて挽回しようのない人は、もうレースを降りたくなると思います。

みなさんは、絶対に勝てない、あるいは勝てそうもないと思ったレースを続ける気力があるでしょうか？　普通は降りますよね。

ひきこもりやニートは、まさに人生というレースにおいて、そんな絶望感を味わった人たちが、やむにやまれず選択する生き方にほかなりません。

そして、いまや誰もがレースを降りたくなるような状況に追い込まれているのが現状なのです。だからこそ若い人から中高年まで、実に多くの人たちがひきこもっているわけです。

その結果、孤独になる。とするならば、彼らを孤独にしているのは、過剰な競争社会だといっても過言ではないでしょう。そんな競争さえなければ、ひきこもりにならずにすんだのですから……。

私の孤独体験を振り返る

エリート街道を歩む

現代社会における孤独は、どうしようもない環境から生じているといっても過言ではありません。好むと好まざるとにかかわらず、多くの人が孤独な状況を強いられているのです。

私もまさにそうでした。これまでの人生で何度か一人で時間を過ごすということを経験しましたが、その時々で意味合いは異なります。一人の時間が苦痛なときもあれば、すごく貴重なものである時期もありました。その違いは何なのか。そこで、私の孤独体験についてお話ししたいと思います。

１９８０年代、私が若いころは、とにかくいい大学に入って、大きい会社に入れば幸せになれるといわれ続けてきました。まさに戦後日本の成長モデルが、神話にまで昇華していた時代です。頑張ればそれだけ報われるという神話です。いや、頑張らなくても、みんなが言うようにやっていればうまくいくという神話です。これに賭けていれば間違いないと。その頂点が80年代のあのバブル経済だったのでしょう。

幸い素直な私は、周囲に従って努力し、京都大学法学部に合格し、卒業後は大手商社の伊藤忠商事に入ることができました。つまり、世間でいういい大学、大きな会社に入ることによって、エリートの道を歩み始めることができたのです。

さあ、これで人生はバラ色……と思ったのもつかの間、バブル経済がはじけ、成長神話にかげりが見え始めてきました。

そんなさなか、仕事で台湾に赴任することになったのです。仕事とはいえ、台湾では語学研修生として1年間中国語を学ぶだけという恵まれた状況でした。

あの年（1994年）は歴史上初めて、台湾の野党民進党のリーダーが台北市長選で当選しそうだということで、まるで革命のような騒ぎが起きていたのを覚えています。

ある日、語学研修を受けていた語学学校を通じて「留学生を代表して政治家と対談するテレビ番組に出てみないか」という誘いを受けました。面白そうだと思って深く考えずに出演したのですが、それが私の人生を変えるきっかけになります。

番組で、ふと日本における台湾の受け止められ方を聞かれました。私はよく知られていないという意味で、おぼつかない中国語を使って「謎の島」だと答えたのです。実際、当時はいまほど台湾旅行が当たり前ではありませんでした。ところが、「謎の島」というのは中国語では「迷える島」と発音が同じなので、そう字幕が出てしまったのです。

翌日、通っていた語学センターのある大学に行くと、番組を見た台湾の学生たちに「俺たちは迷ってない。独立派だ」と言われ、取り囲まれてしまいました。

それまで私は政治については免疫がなかったからか、すっかり感化されてしまいました。なんて熱いんだと。

普通の学生たちが、国を変えるためにこんなにも熱くなっていることに感動したのです。

会社を辞めてフリーターからひきこもりに

台湾に赴任した翌年、私は中国の北京に駐在して営業の仕事をしていたのですが、自分もあの台湾の若者たちのように社会を変える活動がしたいという思いが徐々に募っていきました。あの熱さを忘れることができなかったのです。

そして、ついに会社を辞めてしまいます。いまから思うと、ほとんど勢いでした。

ところが**問題は、当時の私には社会を変えるための知識も経験もなかったことです。あったのは高いプライドだけ。いい大学を出て、大きな会社に勤めていたというプライドです。**これは困っている人を助けるボランティアのような活動にはむしろ有害な要素でした。すぐに挫折してしまった私は、人権派弁護士を目指すなど、いろいろと迷走を繰り返した挙げ句、結局何者にもなれず、フリーターからひきこもりへと転落していったのです。

気づけば20代後半の4年半をダラダラと無駄に過ごしていました。

とくに最後の1年以上はひきこもりでした。いい大学を出て、大きな会社に入ったエリートが、いまやフリーターをやっている。そんな声が人づてに聞こえてきて、もはや誰とも会えなくなってしまいました。そしてひきこもってしまったのです。

30歳を前にして、焦りがあったのだと思います。もう自分は終わったと。

もちろん、何でもやるつもりで這い上がろうとすれば、チャンスはあったのでしょう。

でも、プライドが邪魔をしていました。大口を叩いて会社を辞めたのに、またどこかの会社にこっそり舞い戻っていると言われるのが嫌だったのです。

私は京都の出身ですが、会社を辞めた後は東京にとどまりました。家族や親戚に会うのも嫌だったからです。そのせいで、ひきこもり始めると、もう頼れる人は誰もいません。気にかけてくれる人たちはいましたが、自分から避けるようになりました。

一番つらかったのは夜です。昼間はまだ見知らぬ人を見て、自分が社会というか人間の集団の中にいることを実感できたのですが、夜になると本当に一人です。気が狂いそうになることもありました。いや、精神も徐々に病んでいたのでしょう。寂しさから見知らぬセールスの人を家に入れたり、公園で幸せそうな家族を見つめたりするなど、いまから思えば異常行動だらけです。

しかも夜眠れないので、くぼんだうつろな目で、うろうろとさまよっていたのですから。あのとき、私がさまよっていたのは、東京の街だけではありません。人生そのものをさまよっていたのです。ただ一人。**誰も自分を理解してくれない。社会は私を見捨てた。そう思うと無性に孤独にさいなまれて、身体が震え出したのを覚えています。**

その震えはやがて心身を蝕《むしば》み始めます。不規則な生活から病気になり、心も病んでいきました。不安が影響していたのだと思いますが、毎日片頭痛がひどく、睡眠障害のせいでうつ状態に陥っていたのです。

さらには、大腸から出血し、それが大腸がんの疑いもあるということで、一時は死さえ覚悟しました。幸いストレス性の出血が原因だったため命拾いしましたが、もしあんな生活をもう数か月も続けていたら、いまごろ私はこの世にいなかったでしょう。

哲学に出逢う

なんとか一命をとりとめた私は、藁《わら》にもすがる思いで、あらゆる分野の本を渉猟《しょうりょう》しました。自分を救ってくれそうな分野の入門書です。宗教やスピリチュアルに至るまで。でも、いずれも大きな力に頼って信じることで救われると喧伝するものばかりでした。

そんな中、唯一異彩を放っていたのが哲学でした。**哲学だけは自分の力で人生を切り開くための方法を論じていたのです。**いわば、「信じてついてきなさい」ではなく「疑って自分で道を切り開きなさい」というメッセージです。

それまでの私は、大きな力や看板に頼っていれば安泰だと信じて生きてきました。でも、そうではなかったのです。だから今度こそは自分の力で人生を切り開いていきたいと思っていました。哲学はまさにそういう学問だったのです。

「これだ！」と思った私は、何冊かの入門書をむさぼるように読みました。哲学の古典はとてもじゃないけれど難解で読めませんでしたから。

さすがに当時読み漁った入門書のタイトルは覚えていませんが、どの本にも共通して、疑うことの大切さと、自分と向き合うことが人生を善くする方法だと書かれていたのが強く印象に残っています。

自分の経験を通してつくづく思うのは、哲学には孤独になってから出逢うのが一番だということです。なぜなら、**孤独になると悩むので、そこから這い上がるための道具として哲学をとらえるからです。**

多くの人は大学に入って、教養科目として半ばやむを得ず哲学を選択することになります。これは、まったくもって不幸な出逢いです。

そもそも学問として出逢った哲学を好きになれるはずがありません。それに大学の教養科目としての哲学は、ほとんどが担当の先生の専門をダイジェストで講義されるだけなので、はっきりいって面白くないのです。哲学というより、哲学史やある哲学者の学説の紹介のような講義がほとんどです。

ところが、自分が悩んで積極的に哲学を求めた場合には、人生の悩みに答えるツールとしての哲学に出逢うはずですから、まったく違った側面を見ることになります。どちらが本当の哲学の姿かといえば、間違いなく後者でしょう。哲学は学問の題材などでは決してなく、あくまで善く生きるためのツールだったのですから。それこそが古代ギリシアの哲学者ソクラテスの始めた哲学という営みにほかなりません。

幸い私は孤独から逃れるために哲学に出逢ったので、そういう素敵な印象を持つことができました。その意味でも孤独には感謝しています。

30歳でようやく社会復帰

そうして哲学に夢中になっているうちに、いつしか私の孤独は消えていきました。まったく不思議な感覚でした。相変わらず一人で人生を考える日々でしたが、それまでとはまったく違う気持ちになれたのです。

気がつけば、職探しをし、30歳でも受け入れてくれる市役所の採用試験に願書を出していました。

「どうして市役所に？」とよく聞かれるのですが、台湾での出来事がきっかけで世の中を変えたいと思って会社を辞めたわけですから、私にとっては必然的な選択でもありました。

もっと早くそういう選択ができていればよかったのでしょうが、「社会を変える！」と言って会社を辞めた手前、なかなかすぐに決心ができなかったのです。

でも、**4年半にわたるひきこもり生活、そして何より哲学との出逢いは、そんな私のつまらないプライドをへし折ってくれました。**

哲学と出逢って180度変わってしまった私の生活は、こうして日々充実していきました。一人で悶々《もんもん》として過ごすだけの日常は、一人で本を読み、考える日常へと進化していったのです。

市役所への入庁は30歳とはいえ新規採用扱いでしたから、たくさんの同期がいました。

彼らのほとんどは大学を卒業したばかりで、まさに和気あいあい、一緒にランチをしたり、飲み会をしたりする日々を送っていました。

みんないい人たちばかりで、おじさんの私も仲間に入れてくれたのですが、そのときはすでに哲学に目覚めていたので、自分の時間が惜しくてたまりませんでした。ひきこもり時代なら、毎日ついて行ったと思いますが、逆にお金を払って一人にしてもらっていました。これは冗談ではなくて、実際におつき合いで顔を出さないといけないものでも、会費だけ出して、出席は勘弁してもらうこともありました。

昼休みも資料室にこもって本を読んでいると、自然とそういうキャラが定着して、誰からも誘われなくなりました。輪に入れないおじさんみたいな感じで憐《あわ》れむ目も感じましたが、内心ほっとしていました。これでようやく一人になれると。

それは30年間の私の人生の中で起こった初めての出来事でした。以来、私は一貫してそうしたスタイルを貫いています。

私の孤独は、ある瞬間からポジティブなそれに転換したといってもいいでしょう。具体的には哲学に出逢ったからですが、いま思うとそれだけではなかったのだと思います。きっとネガティブな孤独に苦しむ日々が、その後のポジティブな孤独の準備期間になっていたに違いありません。

市役所の小川さん、哲学者になる

さて、そうやって市役所で働きながら、私は哲学の勉強を進めていました。

そんなある日、働きながら哲学の勉強ができる大学院があることを知ったのです。大学の出している広報誌だったと思いますが、そこに「生涯研究」という魅力的なことが書かれていました。昼夜開講制によって、社会人でも夕方からの授業をとれば、修士や博士の学位が取得できるというのです。ゼミも夕方からか週末にやってくれる可能性がありました。

さらに調べてみると、社会といかに関わるかという「公共哲学」を学べることがわかりました。哲学を学びながらも、台湾で抱いた世の中を変えたいという思いは変わらなかったので、「これだ!」と思いました。私の中で、自分を変える哲学と、社会を変える哲学が結びついたのです。それが公共哲学という分野でした。

以来私は、さまざまな種類の哲学に手を出しながらも、結局は公共哲学を研究し続けています。

大学院では、ただ文献を読むだけではなく、その解釈について議論し、論文を書くための作法を学びました。

入門書を読んだ後は古典を読む。そしてその意味を考える。その程度は自分一人でできるのですが、わからない部分を解釈したり、論文を書いたりすることはなかなか一人ではできません。

大学院での研究は、私にとって哲学という学問を深めるための貴重な機会になりました。どう考え、それをどう言語化していくかという哲学の方法を知ることは、自己表現の手段を得ることに近い感覚でした。

それまで物事を考えても、すぐに行き詰まってあきらめてしまったり、考えても言葉にならなかったりすることが多々あったのです。ところがその方法を知ったことで、私は急に雄弁になりました。次々と考えを論文にし、発表していくことができたのです。

そのかいあって、博士課程の3年目に、運良く高専（工業高等専門学校）の哲学教員として採用されました。この時点で、市役所の小川さんは、哲学者になったのです。

実はこれは私が最初に書いた本のタイトルでもあります。『市役所の小川さん、哲学者になる　転身力』（海竜社）です。

36歳、私は市役所を退職し、高専で教鞭を執り始めたのです。哲学者として。

市役所職員、いや元ひきこもりが哲学者になれたのは、明らかに孤独に苦しむ日々があったおかげです。しかし同時に、孤独に勉強する日々があったおかげでもあります。

ネガティブな孤独からポジティブな孤独へ

人生は団体戦ではなく個人戦

自分の人生を振り返ってみてあらためて感じるのは、**人は群れているだけではダメで、またネガティブな孤独にとどまっていてもダメで、最終的にはポジティブな孤独を手にしないといけない**ということです。

ネガティブな孤独に陥るまでの私は、とにかく人と一緒にいないと落ち着かず、みんなで騒ぐことが幸せなのだと信じ込んでいました。

三人兄弟で、親戚が集まる祖父母の家に同居していたからかもしれません。学校でもとにかくつるむ。一人が怖い。そんな子どもでした。

大学生になってもそれですから、一人違う行動をとるなんてことは考えられませんでした。人との予定が入っていない日は、不安さえ感じていました。

中には、急にやりたいことができたからといって、休学してアフリカに行ったり、フランスに留学したりする同級生もいましたが、「外国で寂しくないんだろうか」と他人事ながら心配になったくらいです。向こうはむしろ、何も考えずに友だちとつるんで日々を無為に過ごしている私のほうを心配していたのでしょうが。

だからみんなと同じように卒業して、同じように就職すれば、それで幸せになれると信じていたのです。

ところが、現実は違いました。人生は結局、団体戦ではなく個人戦だったのです。それは少し道を外れればわかります。

私の場合、会社を辞めたことでその現実を突きつけられました。会社の外にもまた同じようなサークルがあって、楽しくやれると思っていたのに。社会はそんなに甘くはなかったのです。

その後、**ネガティブな孤独に陥って苦しむ羽目になりましたが、逆にその経験のおかげで、たっぷりと自分と向き合う時間を持つことができました。自己との対話や、物事に集中するということを覚えたのです。**

ただ、それは当時の私にとっては苦痛でした。なぜなら、私の中でその状況の対極にあるのは、みんなでつるむことだったからです。

ようやく人の生き方が、みんなでつるむことと孤独にさいなまれることの二択ではないと悟ったのは、孤独な時間を積極的にとらえられるようになった瞬間からでした。

一人だけど、やりたいことがある。そのことに集中したい。そう思った瞬間、ネガティブな孤独はポジティブな孤独に転換したのです。そのきっかけをつくってくれたのが哲学でした。

哲学と格闘し、闇から抜け出す

哲学に出逢って、吸い込まれるようにその世界観に魅了されてしまった私は、毎日寝る間も惜しんで哲学の入門書を読み漁りました。入門書とはいえ、一冊をちゃんと理解するだけでもかなりの時間がかかりました。

度重なる引っ越しのせいで、いまはもうどこに行ったのかわかりませんが、最初に読んだ入門書は哲学の研究者になった後もしばらく私の書棚に並んでいました。

あるとき、その本を手にとって思わずジンと来たのですが、本文が読めなくなるくらい何度も線を引き、余白がなくなるくらいのメモが書き込まれていました。当時は一冊を理解するために、何度も読み返し、大事だと思う箇所には線を引き、疑問や思ったことを書き込んでいたのです。

結局、私が出版した哲学の入門書は、そのときに読んだいくつかの本がベースになっているのだと思います。

いまから思うと、なんだかトンチンカンなことをメモしていた気がしましたが、それでも**私は必死に闘っていたのでしょう。どん底に落ちてしまった自分と、そして哲学という手ごわい猛獣と、さらには孤独という深い闇と。**

そして幸い努力のかいあって、そのいずれにも勝つことができたのです。

私の気持ちはすっかり前向きになり、また社会に戻りたいと思うようになっていました。そして哲学もなんとなく理解し、もっと深く勉強したいと思うようになっていました。

これは大変なことです。多くの人が哲学に興味を持ちつつも、少しやり始めるとその奥深さや難解さの壁に直面して挫折していますから。でも、せっぱつまっていたせいか、私はなんとか乗り越えることができたのです。

さらには、孤独という深い闇の中から抜け出して、明るく前向きな自分を取り戻していました。

いや、周囲から見れば、相変わらず私はひきこもりだったのかもしれません。でも、確かな心の変化がありました。

そうして私は、ついに孤独という猛獣を飼い慣らせる人間へと成長することができたのです。だからその後、人と違うことをし、その道で成功することができたのだと思います。

この壮絶な経験から私が得たものは何か？

ひと言でいうなら、**「ネガティブな孤独をポジティブな孤独に転換する方法」**にほかなりません。**孤独を強さに変えて、充実した日常を送り、成功するための方法**です。

繰り返しますが、それは哲学に出逢ったからこそ得ることができたのです。

第2章

哲学から孤独を考える

そもそも「孤独」って何?

「一人で寂しい」は思い込み

ここまで孤独の実態、そして私の孤独体験についてお話ししてきました。ただ、その中で「孤独」という言葉については、あえてなんの断りもなしに使ってきました。

でもすでにみなさんは、孤独にもいいものと悪いものがあるのではないかと感じられていることと思います。私もネガティブな孤独やポジティブな孤独と表現することで、そんな孤独の二義性を多少意識して論じてきました。

そこで、あらためて孤独とは何なのか考えてみたいと思います。

日本語には漢字、ひらがな、カタカナの3種類があります。

よく目にするのは、「人、ひと、ヒト」とか「形、かたち、カタチ」などという使い分けでしょうか。この場合、ニュアンスや使われる領域がそれぞれ違うのです。

でも、孤独を「孤独、こどく、コドク」と表記したところで、何の違いも感じません。おそらくみなさんが抱かれるイメージは、「一人で寂しい」という感じなのではないでしょうか。現に孤独という言葉が使われるときは、基本的にネガティブな文脈です。

孤独な人、孤独に生きる、孤独な生活、孤独から抜け出したい……。

これは孤独という言葉のネガティブな側面がそれだけ社会において確立している証拠といっていいでしょう。

でも、**本当にそうなのかどうか。もしかしたら、それは思い込みにすぎないのではないか。そうしたことを考えるのが哲学です。**

実は私たちが日常使っている言葉のほとんどは、思い込みの産物だといっても過言ではありません。そのせいで誤用が生じたり、あるいはそれが原因で言葉の本来の意味が変わっていったりもします。だからこそ、本当はどういう意味の言葉なのかということを、あえて思い込みを疑って考えてみる必要があるのです。

「孤独」についてもそうです。

本来、哲学の世界では、最初にこういう議論をすべきなのかもしれませんが、具体的な話を抜きにしていきなり始めてしまうと、抽象的な議論に終始することが多いので、私はできるだけ具体的な話をしてからようやく概念について論じるようにしています。そしてまた具体的な話に落とし込んでいくというふうに。

長年主宰している哲学カフェでも一貫してそのスタイルをとっています。テーマになっている事柄が、具体的にどのような場面でどう問題になっているのか共有しないと、抽象的な概念だけをめぐって議論するのは極めてむずかしい営みになるからです。

だから私は、どんなテーマについて話す場合も、まずは参加者がそのテーマ、あるいは言葉をどんなふうに使っているか、どんなふうに受け止めているかを話してもらい、全員で共有するようにしています。

この時点ですでにさまざまなとらえ方があることが明らかになり、思い込みを疑う作業である哲学を始めるいいウォーミングアップにもなります。

中には、「そんな人の経験談はいいから、早く哲学を始めましょうよ」と言い出す人もいるのですが、その時点で哲学はすでに始まっているのです。

孤独とは集団の中で味わう一人の時間

さて、そもそも孤独とは何か？

まずは哲学の基本的な作法に則って検討してみましょう。つまり、一般的に孤独についていわれていることを挙げて、それを疑うことから始めたいと思います。

みなさんは孤独をどんなふうに定義しているでしょうか？

定義とまでいわれると困るかもしれませんが、誰しもこういう意味だろうというイメージくらいは持っていると思います。

だいたいはそのイメージと辞書の説明は重なっています。みんな言葉の意味は辞書で調べて、そのまま鵜呑《うの》みにするからです。

ネットで調べる人が多いと思いますが、それも同じです。ネット上の辞書やそれに代わるサイトで調べているのです。

手元の『大辞泉　増補・新装版』（松村明監修、小学館）にはこんなふうに書いてあります。

「仲間や身寄りがなく、ひとりぼっちであること。思うことを語ったり、心を通い合わせたりする人が一人もなく寂しいこと。また、そのさま」

どうですか？　みなさんのイメージと同じですか？

おそらくそうでしょう。「あいつは孤独なやつだ」とか「俺は孤独だ」などと言うときには、こういう意味で使っているでしょうから。まさに寂しい状態ですよね。

でも、果たして本当にそうなのでしょうか？

「仲間や身寄りがなく、ひとりぼっちであること」とありますが、仲間がいても孤独を感じることってありませんか？

さらに、「思うことを語ったり、心を通い合わせたりする人が一人もなく寂しいこと」とありますが、そういうときに常に寂しいと感じるのでしょうか？

そこまでいうと、よほどひねくれているみたいに聞こえるかもしれませんが、哲学というのはそういう営みなのです。これによってはじめて、当たり前の裏側にある本当のことが見えてくるからです。

さて、疑った後はどうするか？　今度は視点を変えて、さまざまな角度から見てみることです。

たとえば、おべっかばかり言う側近に囲まれた王様はどんな気持ちだったのだろうかとか、四六時中ファンやマスコミから追っかけ回されているアイドルはどんな気持ちなんだろうかなど。

私がそんな王様だったら、人に囲まれていても孤独を感じるでしょうし、追っかけ回されているアイドルなら、むしろ無人島に逃げたくなるでしょう！　孤独になるために。

そうやって視点を変えてみると、辞書に書かれていることは必ずしも正しくないということがわかってきます。

そこでもう一度、孤独の意味を自分なりに再構成してみるのです。新たな言葉でとらえ直すといってもいいでしょう。

すると、**孤独とは周囲の人の人数にかかわらず生じるもので、時に一人になりたいときには自ら求めるものである**とさえいえそうです。

哲学ではここまでのプロセスをもっとじっくり考えるのですが、ダイジェストでお送りするとこうなります。

そして最後は、この再構成した言葉をもっと磨いていきます。ずばり「孤独とは何々である」と言えるように。

先ほどの一文を私なりに短くまとめると、**「孤独とは集団の中で味わう一人の時間」**という感じでしょうか。

これはあくまで仮の答えです。

本書でさらにじっくり深く考察する中で、最後の最後に、私の最終の答えをお示ししたいと思います。

いや、哲学に終わりはないので、最終の答えではありませんね。

あくまで本書における最終の答えです。

哲学は人によって答えが変わってきますし、その人の置かれた状況によっても変わってきます。だから考え続ける必要があるのです。

どこかに真理はあるのかもしれませんが、それはそう簡単には到達できるものではないのです。あるのはそのつど自分にとってのベストな答えだけです。

科学から孤独を考える

こんなふうに主観だけを頼りに議論を進めるのが好きでない人のために、少し科学の話もしておきましょう。

世の中には孤独を科学している人もいるようです。

たとえば、ジョン・Ｔ・カシオポとウィリアム・パトリックによる『孤独の科学　人はなぜ寂しくなるのか』（柴田裕之訳、河出文庫）の中で、彼らはさまざまな実験を通して、孤独感に影響を与える三つの要因について指摘しています。

①社会的な断絶に対する弱さ
②孤立感にまつわる情動を自己調整する能力
③他者についての心的表象、予期、推論

これらの相互作用が孤独の原因だというわけです。

この三つの要因は次のように言い換えられるでしょう。

①一人でいることに対する弱さの程度
②孤立したときにメンタルをコントロールする力
③他者がどう思っているかということに対する自分の見方

たとえば、一人でいることが苦手で、不安を感じやすい人がいるとします。でも、そのときに自分のメンタルをうまくコントロールできれば問題ないわけです。それができず、かつ他の人たちは自分のことに関心がないと思ってしまうと、もう孤独に陥るしかないということです。

この話を聞いて、ある学生を思い出しました。その学生は海外に留学中、まさにこういう経験をしたと言います。

もともと一人でいるのが苦手だったのですが、メンタルをうまくコントロールできず悩んでいました。言語の壁も災いして、どうしても現地の学生たちの輪に入れなかったそうです。

そうすると、まるで現地の学生たちが自分をわざと仲間外れにしているのではないかというふうに感じ始め、孤独感が増幅していったというのです。

たしかに人が孤独に陥るというのは、こうした要因が影響しているのでしょう。

ただそれゆえに、かねて私は、一人でいることによる弱さの程度がなぜ人によって異なるのか気になっていました。なぜなら、それこそが一番大きな要因であるように思うからです。

そして、もしそれが遺伝的なものなら、他の動物も孤独になるのだろうか？と考えていました。

実はこの点についてもカシオポらは、きちんと答えを出してくれています。彼らは「ハリー・ハーロウの実験」と呼ばれる事例を紹介しながら、人間にも他の動物にも他者とのつながり、とりわけ触覚的な心地よさが孤独に関係することを示唆しています。

ご存じの方もいるかもしれませんが、この実験は、母親と引き離された赤ちゃんザルに対して、ミルクを与えてくれるワイヤー製の母ザルと布製の母ザルを与え、どちらを求めるかを確認したものです。

その結果、赤ちゃんザルは、ミルクを飲むとき以外は布製の母ザルに抱きついて過ごすことが多かったそうです。いわば触覚的な心地よさを求めたのです。

そしてその触覚的な心地よさなしに育つと、サルは精神と情動の両面で発達が大幅に遅れることを発見したのです。つまり、幼いころに親などの他者と適切な関係を持っておかないと、孤独になる可能性があるという話です。

たしかにそうなのかもしれませんが、私に言わせると、これはあくまでネガティブな孤独の話にしか当てはまらないように思います。**積極的に孤独を選び、うまく自分と向き合えている人は、むしろ精神も情動も安定しているように思うからです。**

その点では、カシオポらが提案している孤独から脱する方法は参考になります。なぜなら、これは私のいうポジティブな孤独を手にするための方法論でもあるからです。

カシオポらはそれを**「EASE（ゆっくり事を進める）」**と呼んでいます。

この場合のEASEは、Eがextend yourself（自分を広げる）、Aがaction plan（行動計画）、Sがselection（選別）、Eがexpect（期待する）を意味しています。

自分の世界を広げ、具体的な行動計画を立て、関係の量ではなく質を選び、最善を期待する態度をとっていれば、周りから最善のものを得やすくなる。そういう他者との適切なつながりをつくっていくためのプロセスです。

本書でも、第５章で「ポジティブな孤独を手に入れる７つのステップ」を紹介しますが、基本的には同じことなのだと思います。

他者とのつながりのない人が、そのつながりをつくっていくプロセスは、実は自分とのつながりのない人が、本当の自分とつながるプロセスと同じだということです。

孤独にも幅がある

孤独について考えてみると、私たちが「孤独」と呼んでいるものは、割と幅のあるものだということがわかってきます。つまり、人によって孤独の意味も少し異なるということです。

あるいは孤独にもグラデーションがあるという感じでしょうか。

この点について心理学者の諸富祥彦さんが、『孤独の達人　自己を深める心理学』（ＰＨ

P新書）の中で孤独を三つに分類されています。

一つ目は、自分で選んだわけでなく、否応なくそのような状態になってしまった社会的孤立です。これを「**非選択的孤独**」と呼んでいます。

二つ目は、あえて主体的に選択し直された孤独としての「**選択的孤独**」です。

三つ目は、一人黙して自己の内面深くに沈潜する「**実存的な深い孤独**」だと言います。

いわば段階的に、消極的な孤独からより積極的な孤独へと進化するようなイメージでとらえているわけです。

これは孤独という生き方の選択という意味ではわかりやすい図式ですが、孤独という状態はもう少し複雑であるように思うのです。


少し極端なところから考えてみましょう。

たとえば、孤独が真ん中にあるとして、その両極端の状況や感情を考えてみるのです。そうすると、まず心が通じ合う人たちに囲まれていて心が満たされている状態。これが一方の極にあると思います。

反対に、孤独どころか、この世界には他の人など誰も目に入らず、もう死んでしまいたいような状態が他方の極に想定できるでしょう。

前者は何と表現すればいいでしょうか。みんなが助け合う状態である「連帯」という言葉はどうでしょう？

一人ではなく、みんなが同じ気持ちを共有して助け合っているのですから、きっと心が満たされているに違いありません。

でも、何か足りないような気もします。連帯という言葉は政治の文脈で使われることが多いからでしょうか、どうしてもやむを得ず共闘しているイメージがぬぐえないのです。

もっと純粋に心を分かち合っているような状態は何と表現すべきか。もちろん、「幸せ」とか「満足」などですが、そこまでいってしまうと広すぎるというか、何もかもを含んでしまうような気がするので、人と人との関係に焦点を当てた言葉のほうがいいように思います。

そうすると、人と理解し合えていることを感じている状態をいうわけですから、**「共感」**といった表現になるでしょうか。本当は「共感状態」のほうが正確ですが、あまりこういう使い方はしないのでやむを得ません。

では、その反対の極にあるものはどうなるかですが、私は**「絶望」**がいいのではないかと思っています。

絶望とは誰からも理解されず、かつ自分さえも見えなくなっている状態です。「死の一歩手前に立っている」といってもいいでしょう。

孤独は共感と絶望の間に存在する中間的な状態なのです。そうとらえると、孤独の可能性が開けてくるのではないでしょうか。決して極端な状態ではないのですから。

ちなみに、孤独に似ているけれども、それとは違うニュアンスを持った**「孤高」**という言葉があります。これは積極的に一人の状態を受け入れ、しかもそんなことを気にせず超然とした気持ちでいることをいいます。

その点では私のいうポジティブな孤独に似ているのですが、少し孤独を気取っている感じもします。現に孤高の類義語には「気高い」とか「俗離れした」などの表現が並びます。その他に「高踏《こうとう》」という言葉もあります。俗な気持ちを捨てて、気高く身を処することです。まさに「高等」ですよね。

文学の一分野に「高踏派」とか「高踏主義」などがありますが、これは典型例です。19世紀フランスで起こった潮流で、形式の厳格さと感情の超越を特徴としています。日本では森鷗外などの作家が高踏派とされます。『舞姫』の太田豊太郎のようなイメージなのでしょうか。

いずれにしても、私のいうポジティブな孤独とは少し違うように思います。孤高や高踏は、孤独の先にある心のつながりを感じる状態とはある意味で対極的です。かといって、絶望でもありません。いわば先ほどの孤独の両極というよりは、次元の違う方向に孤独をシフトさせたような感じです。

ポジティブな孤独を図で表すと……

図式的に表現するなら、共感と絶望が横軸だとすれば、縦軸の上のほうに孤高があるというイメージでしょうか。一つの極として。

とすると、その下のほうにある極は何になるのか？　みんなといて、かつ人がどう思っているのか気にしてばかりいる状態ですから、**「依存」**といっていいのではないでしょうか。

つまり、孤独との関係で人との心のつながりの度合いを横軸にとり、その両極をそれぞれ共感と絶望というふうに定めることができました。

そして孤独との関係で他者への依存の度合いを縦軸にとり、その両極を孤高と依存というふうに定めることができました。

これを4象限の図で描くとすると、私が**ポジティブな孤独と呼ぶ状態は、おそらく共感と孤高によって画される部分の孤独に近いエリアを指す**ことになると思います。

対して、他の象限の孤独に近いエリアはみんな何らかの意味でネガティブな孤独だといっていいでしょう。

絶望と依存では仮に孤独でも人に迷惑をかけてしまうでしょうし、共感と依存でも人にべったりしてしまうでしょう。

また孤高と絶望だとやや矛盾するだけでなく、少し危ない方向に行ってしまいそうです。だからどれも問題があるのです。

先ほどの諸富さんの分類でいうと、**「非選択的孤独」はネガティブな孤独、「選択的孤独」や「実存的な深い孤独」はポジティブな孤独に当てはまる**と思います。

ポジティブな孤独は、別に実存的な深い孤独に限定する必要はないと思っています。

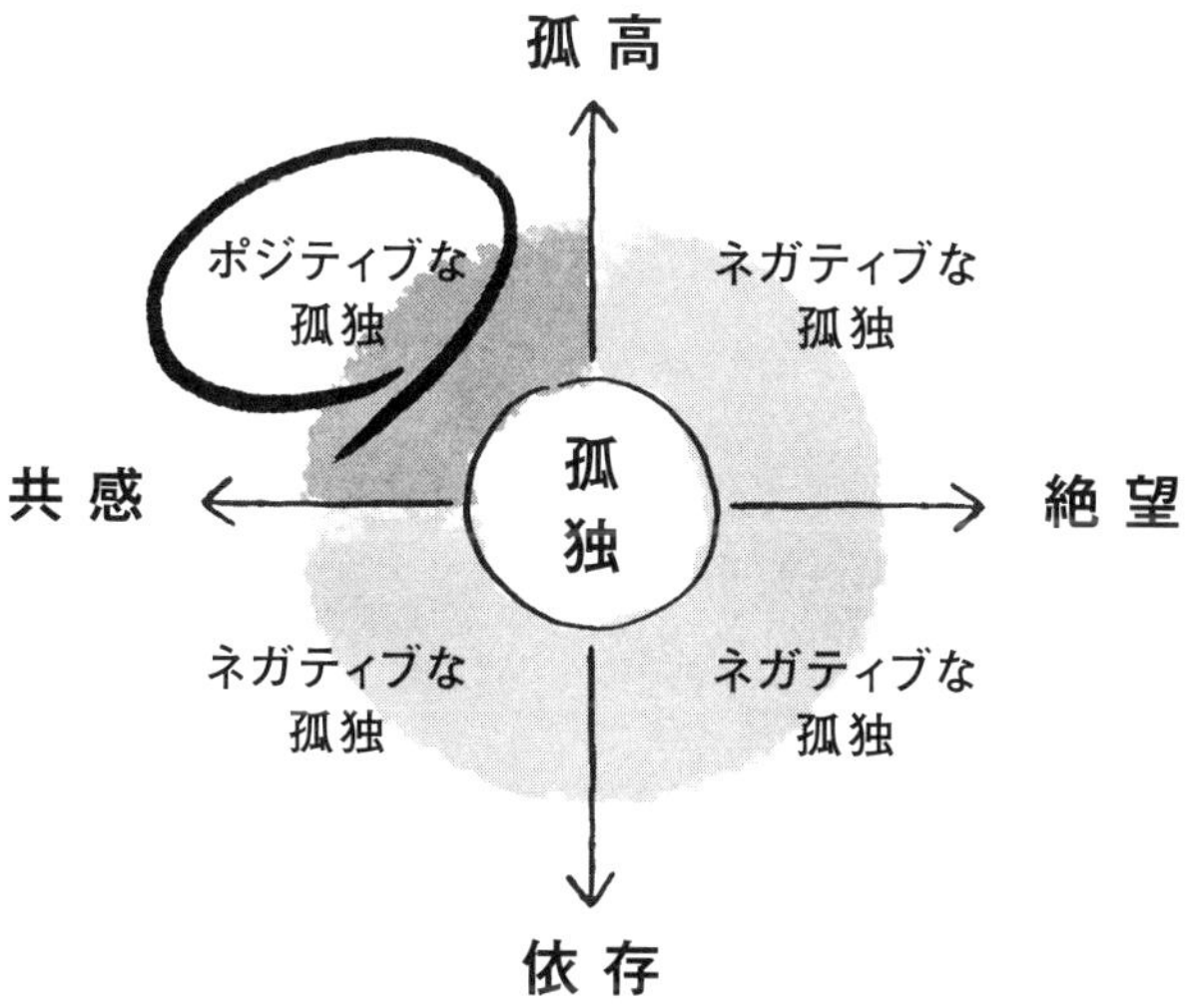

要は、一人でいることを積極的な選択として受け入れられるようになればよくて、時に気楽に、時に深刻にその状態と向き合えばいいのです。

いずれにしても私は、この唯一ポジティブな孤独と呼ぶことのできる部分の可能性をもっと探求すべきだと思っています。

孤独を恐れる人、孤独を楽しむ人

日韓二つの名作映画に見る孤独感

では、孤独だと嘆く人と、そんなことはお構いなしに楽しく生きる人の二種類に分かれるのはなぜか？

おそらくそれは気持ちの問題なのではないでしょうか。置かれた状況が同じなのに、違う気持ちになるのはそうとしか考えられません。

同じ状況でも孤独を感じる人とそうでない人がいる。ということは、**一人で過ごす時間を余儀なくされるいま、それを孤独だと思わなければいいのではないでしょうか。**

あるいは私の言葉でいうと、それをネガティブな孤独ととらえず、ポジティブな孤独として楽しむことができれば、問題は解決するように思うのです。結局、孤独とは客観的な状況のことではなくて、自分の気持ちの問題なのではないかと。

最近、ある二つの映画を比較する機会があり、そのおかげで孤独が気持ちの問題であることに確信を持ちました。いずれも名作です。

一つは、山田洋次監督の「東京家族」。これは小津安二郎監督の名作「東京物語」のリメイクだといわれています。

もう一つは、ユン・ジェギュン監督による韓国映画で、韓国のアカデミー賞といわれる大鐘賞でも高く評価された「国際市場で逢いましょう」です。

どちらも家族の絆をテーマにしていること、そしてそれを支えてきた父親を主役にしている点で共通しています。ただ、同じように家族を支えてきた父親でも、晩年の彼らの気持ちは対照的であるように映りました。

「東京家族」の父親は、東京で暮らす子どもたちに頼ろうとして、その期待が外れたことで孤独を感じます。みんな独立しているにもかかわらず、人と比べてまだいいほうだとは思えなかったのです。

一方、「国際市場で逢いましょう」の父親は、激動の時代を自分が家長としてなんとかしなければという思いで生きてきました。それゆえに、成長した子どもたちにソデにされることをむしろ喜ぶことができたわけです。苦しかった自分の時代とは違って、子どもたちはおのおの幸せにやっていると。

つまり孤独とは、客観的な状況ではなく、あくまで気持ちの問題だということです。同じように子どもがいて、しかもその子どもたちにソデにされたとき、**孤独を感じる人とそうでない人に分かれる。それはもう自分がその状況をどうとらえるかという問題**なのです。

思想的にもこれは正しいようです。

イスラエルの思想家ユヴァル・ノア・ハラリは、すべては私たちの頭の中で起こっていると言います。そもそも彼が、世界的ベストセラーになった『サピエンス全史』（柴田裕之訳、河出書房新社）で明らかにした最大のポイントはこのことです。

われわれの祖先であるサピエンスがなぜこの世の中を支配する存在になったのか？　それは、サピエンスだけが頭の中でフィクションをつくり上げる能力を持っていたからだと言うのです。

たとえば映画「マトリックス」で描かれたように、仮想の世界に生きているかのように思わされているとき、人はそこから抜け出して、現実の世界に戻れると信じています。いわば本当の自己がどこかにあると思っているのです。

ところがハラリに言わせると、そんなものはないのです。本当の自己もまた何かに影響されてつくり上げた世界の中を生きているにすぎないのですから。だからどこまでいっても、私たちは頭の中でつくり上げた世界に生きざるを得ないのです。

逆にいうと、**世界は私たちの頭に委《ゆだ》ねられていることになります。どんな世界を描くかで、私たちの生きる世界が変わるのですから。**なんだかパラレルワールドみたいな非現実的な話に聞こえるかもしれませんが。

孤独を楽しんだ兼好法師

昔から日本では二つの世界を生きるという感覚に慣れ親しんできたように思います。出家して俗世と離れて生きるというのは、そういう感覚だったと思うのです。

誰もが学校で習ったことのある『徒然草』。あの古典を読んでいると、その様子がよくわかります。

出家した兼好法師が俗世と距離を置き、いわば孤独な視点から世の無常を説いているのです。でも、寂しさを感じることはありません。むしろ彼自身はそういう俗世から逃れて、達観できたことを心から喜んでいるようにすら見えます。

もっというと、まるで自分だけ特権階級として生きているように見えるのです。

それは『徒然草』（第75段）に綴られた彼の言葉からストレートに伝わってきます。

「徒然侘《わ》ぶる人は、いかなる心ならん。紛るる方無く、ただ一人有るのみこそ良けれ。世に従へば、心、外《ほか》の塵《ちり》に奪はれて惑ひ易く、人に交はれば、言葉、外《よそ》の聞きに従ひて、然《さ》ながら心にあらず。人に戯《たはぶ》れ、物に争ひ、一度《ひとたび》は恨み、一度は喜ぶ。その事、定まれる事無し。分別、妄《みだ》りに起こりて、得失、止む時無し」

これは、ちくま学芸文庫の島内裕子さんによる現代語訳だと、次のような意味になります。

「何もすることがなくて退屈であるという状態を嫌に思う人は、いったいどういう心なのだろう。雑事に紛れることなく、ただ一人で静かに過ごすのこそがよいのに。世間の人々の生き方に従うと、自分の心が、外界のつまらぬことに影響されて迷いやすく、人に交わると、人の発言に左右されて、ちっとも自分の心でなくなってしまう。人と戯れたり、物事を争ったり、恨んだり、喜んだりで、心が定まらない。いろいろな分別がみだりに湧き起こり、利益や損失への執着が、絶えず心を苦しめる」

ここで兼好法師は、自分の実践する徒然なる生き方と、世間の人々の俗的な生き方を比較して、いかに自分の生き方がいいかということを強調しています。そのほうが、苦しまずに生きていけるのだと。

『徒然草』に限らず、多くの古典のおかげで、日本には昔からこうした出家して生きるという発想が根づいているように思えてなりません。だから気持ち次第で、同じ現世を生きながらも、別の世界に生きているかのような生活を送ることは可能であるように思うのです。

ということは、**孤独な人生を送るのか、そうでないのかは自分の気持ち次第**ということになります。

もっというと、一人で過ごすという現実は変わらなくても、それをネガティブにとらえるか、ポジティブにとらえるかで、意味合いが180度変わってくるということです。現実はまったく同じであるにもかかわらず。

二種類の時間を行き来する

ポジティブな孤独は、孤立と違って、決して俗離れしたり、超然としている必要はありません。時には人とつき合うことがあってもいいと思うのです。

そもそも人とつき合うことと孤独は矛盾しません。

「友だちがたくさんいるから孤独でない」とか「友だちと楽しくつき合っているのに孤独と表現するのはおかしい」などと言う人がいます。でも、すでに論じたように、友だちがたくさんいても誰にも理解してもらえず、孤独にさいなまれていることはいくらでもあります。

同じように、友だちと楽しくつき合っていて、かつ理解し合えていても、孤独だといっていいと思うのです。

ただし、この場合の孤独は決してネガティブなものではありません。ポジティブな孤独です。つまり**ポジティブな孤独とは、自ら進んで積極的に孤独になるということです。いわばあえて心を孤立させることで、自分に集中している状態です。**

そういう状態は永続するわけでもなければ、どうしようもなく陥ってしまうものでもありません。自分でコントロールして、わざわざその状態をつくるのです。ですから、好きなときに好きなだけ孤独になれるということです。

その意味では「瞑想」に近いかもしれません。意識的に周囲の世界と隔絶された状態に自分を持っていくのです。

何のために？　そうすることで、物事に集中したり、心を落ち着かせたりすることができるからです。

人と楽しくつき合っていても、好きなときに孤独になれれば、一見相反する二つの状態も両立させることが可能です。

「そんなの孤独じゃない」と言う人もいるかもしれませんが、どうして孤独じゃないのでしょうか？

おそらく孤独の問題は、私がポジティブな孤独と呼ぶこうした状態を無視してきた点に起因しているように思えてなりません。

芥川賞作家の田中慎弥さんが、『孤独論　逃げよ、生きよ』（徳間書店）の中で、完全な孤独などないと論じられています。

私たちはこの無数のコミュニティが輪をなす社会において、完全に孤独になることなど不可能だということです。でも、それは決して否定的なことばかりではありません。

田中さん自身、自分の部屋の中でひきこもる孤独な時間と、部屋を出て母親と過ごす時間とを自由に行き来していたと言います。

そうやって人はみんな「二種類の時間を絶え間なく行き来する」というわけです。

ポジティブな孤独とは、この二種類の時間の一つだととらえることができるでしょう。時に、あえて孤独を選ぶということです。

もちろん、孤独とつくからには、たとえ意識的に周囲と隔絶していたとしても、やはりその瞬間は誰も助けてくれませんし、誰にも理解してもらえないかもしれません。

その点では寂しい状態です。つらいとさえいえるでしょう。

しかし、それが孤独の良さでもあるのです。**「自分という存在は結局一人である」と自覚し、だからこそ「自分でなんとかしなければならない」と自覚すること。**その感覚を忘れないことが、人を強くします。そして人生を楽しめる人間にするのです。

孤独と哲学は親和性が高い

哲学は小説よりも孤独

そもそも哲学と孤独には親和性があります。これはぜひ強調しておきたいと思います。なぜなら、それこそが哲学者の私が孤独の本を書く意義だからです。

孤独について書かれた本の多くは、作家、とくに小説家によるものです。なぜか？　それは物を書くというのは孤独な営みだからです。だから孤独と小説の執筆は親和性があるのでしょう。

私も小説を出したことがあるので少しはわかるのですが、自分の頭の中で世界をつくり上げていく作業は、自分との飽くなき闘いだからです。誰も助けてくれません。フィクションですから、存在しないものを存在するかのようにつくり上げていくわけです。

当たり前ですが、その世界は自分しか知りません。まだ形にしていないのだから、共感してくれる人もいません。というか、構築している最中は、自分さえ知らないのです。こんな世界があって、そこにこんな人たちがいて、こんな出来事が起こる。すべてが自分の中だけから生じてくるものです。

もちろん、人とアイデアについて相談したり、議論したりすることはあっても、結局それを文章にしていくときには、一人で闘わないといけないのです。

その際、万人が共感してくれると自信を持って書き進められる人は少ないと思います。それは未知の状況なのです。起こるかどうかもわからない不確実な世界だということです。にもかかわらず、世界を構築し、言葉を紡《つむ》ぎ続けなければならない。きっとそんなときは、**誰に評価されなくても、自分が気持ちを言葉にできただけでも幸せだと思うしかないのでしょう。**

私もそんな気持ちで小説を書いた覚えがあります。だから小説の執筆と孤独に親和性があるというのはよくわかるのです。

でも、哲学の場合、それ以上に孤独との親和性が高いように思います。

まず新しい世界観をつくり出すところは小説と似ています。物事の本質を考え抜いて、それを新しい言葉でとらえ直す営みですから。哲学はそれに加えて、常識や既存の考え方を疑うことを宿命づけられています。この点で孤独な道にならざるを得ません。

哲学の父、古代ギリシアのソクラテスが、奇しくも死刑という非業の死を遂げたのは、そのことを象徴しているように思います。周囲から理解を得られなくても、やらなければならないのです。そうでないと哲学になりません。

とくに日本社会ではそうです。人と違うことを口走った瞬間、急に四面楚歌になるのです。「うんうん、そうだよねー」と言っているうちは和やかですが、ひと言でも「いや」とか「でも」などと言ったら、急に〝面倒な奴〟というレッテルを貼られてしまいます。だから異議を唱える哲学なる学問が、なかなかこの国に広がらないのはよくわかります。

それでも、誰かがそれをしないといけないことはみんな薄々気づいているのでしょう。そのおかげで、なんとか哲学も命脈を保てているのだと思います。孤独な営みだけれども、それをあえてやる奇特な人がいるから、任せておこうというように。

哲学が小説に比べてもっと孤独なのは、言葉さえ生み出せるかどうかわからないという点です。

小説の場合、言葉を紡ぎ出していくのが大前提です。それがちゃんと物語になっているか、あるいはそれに共鳴してもらえるかという点では孤独な作業ではあるものの。

これに対して哲学の場合は、言葉として何かが表現されるかどうかもわからないのです。もしそれができたとしたら成功でしょう。でも多くは、頭の中で苦しい闘いが繰り広げられるだけで、言葉として結実することはないのです。歴史に名を残した哲学者や、哲学研究者たちはまれな例なのです。

私はここで職業哲学者の話だけをしているわけではありません。彼らは仕事でやっているので、割と言葉にするのが得意なのでしょう。

中には哲学した結果とは思えないような、ただの分析結果を哲学と称して言葉にしているだけの人もいます。

しかし**本当の哲学は、悩み抜くプロセスであり、またその結果を言葉にすることです。**

その意味では、誰もが哲学をすることができますし、やっているのでしょう。にもかかわらず、多くの人たちはその結果を言葉にできていない。みんな自分の頭の中で悶々と闘っているだけなのです。

哲学と孤独は親和性が高いというのは、そういう意味においてです。

孤独な哲学が孤独を変える

でも、だからといって、哲学などしないほうがいいことにはなりません。むしろ逆です。哲学をすることで、孤独な時間が上質なものになるからです。

哲学をすることで孤独になるのは間違いありませんが、同時にそれは孤独という概念の質を上げることにもなるのです。

一人で時間を過ごす方法はたくさんあります。その中でも、哲学ほど有意義な過ごし方はないということです。

ひと言でいうとそれは、一番純粋に自分と向き合うことができるからです。

一人で時間を過ごすことの意義は、自分と向き合えることだと思います。誰か他の人がいると気が散ってしまい、自分と向き合えないからです。

みなさんも経験があると思いますが、人と騒いだ後に一人になると、急にシリアスな気分になるはずです。我に返るような感覚にとらわれる人もいるでしょう。

その結果、「ああ自分は本当は寂しいんだな」とか「無駄な時間を過ごしたな」などと感じるのです。ただ、そういうときは疲れていますから、じっくり自分と向き合うことはできません。多くの場合、かなり酔っていたりしますから。

その点、哲学という孤独な営みは、徹底的に自分と向き合う時間を与えてくれます。いったい自分はどう考えているのか、自分の言葉で考える。それは何を対象に哲学をするにしても、自分と向き合う貴重な時間なのです。


面白いのは、徹底的に孤独であるはずのそのプロセスが、孤独の意味さえ変えてくれるという点です。

やってみればわかるのですが、孤独に哲学すればするほど、自分と向き合うことの意義がわかってきて、孤独をポジティブにとらえるようになるからです。哲学にはまる人は、そのゾーンを体験した人でしょう。私自身がそうだったわけです。

言い換えると、**哲学を通して、自分の中で孤独の意味が変わっていく**ということです。

ネガティブな孤独からポジティブな孤独へ。孤独というのは、決して一義的な概念ではありません。人間の感情である以上、複雑なのは当たり前です。

次章では、私の勧めるポジティブな孤独がいかにいいか、その効用についてお話ししたいと思います。

第3章

孤独はなぜいいのか?

（7つの効用）

【孤独の効用1】 自分に集中できる

一人になる時間が必要

私がポジティブな孤独について説くたびに、「みんなとつるんでいるほうがいいに決まっている」とか「友だちのいない人の言い訳だ」などと言う人がいます。

果たして本当にそうなのでしょうか。

みんなとつるんでいると、たしかに楽しいときもあります。それは正直に認めます。だから私も飲み会に行ったり、カラオケに行ったりするわけです。でも、それは気晴らしにすぎないのです。決してその時間が主ではありません。

みんなとつるんだり、騒いだりするのは、自分のやるべきことをやっていて、それに疲れたときに自分を解放するためです。なぜなら、自分のやるべきことに集中しているときは、自分を取り込んでいますから。その緊張感から自分を解き放つために、人と交わるのです。

そのときは、自分に集中するのではなく、かといって他者に集中しているのでもありません。あえていうなら、環境に同化しているのです。

人と合わせるとか、コミュニケーションをとるなどというのは、結局そういうことなのではないでしょうか。自分を相対化するといってもいいかもしれません。とにかく自己への集中とは真逆の状態です。


哲学対話の普及に努めている哲学者の河野哲也さんが、刺激的なタイトルの本を書かれています。ずばり『人は語り続けるとき、考えていない　対話と思考の哲学』（岩波書店）というものです。

まさにそうなのではないでしょうか。おしゃべりな人にはハッとさせられる視点です。

私自身もそうですが、饒舌《じょうぜつ》に語っているときは、過去に考えたことを披露しているだけか、あるいはその場で出てくる言葉を危なげにつなぎ合わせているだけのことが多いです。

そういう場合、あとから自分の発言を思い出してヒヤヒヤすることがあります。そしてようやくじっくり考えるのです。うまく伝わったかなとか、結局自分は何が言いたかったのかとか。だから一人になる時間が必要なのです。

ましてや、みんなに合わせて、みんなと騒いでいるとき、そこに本当の自分はいません。

自分はみんなのうちの一人になっているのです。

見えないものが見えてくる

第2章で紹介した諸富祥彦さんは、「一人の時間なしでは、人は、中心を失ってしまう」と主張しています。そして、デンマークの哲学者キルケゴールの「関係としての自己論」を引きながら、自己とは周囲との関係の中で絶えず自分を見つめ直すことで、生成していく概念であると論じられています。

私もその通りだと思います。キルケゴールは実存主義の哲学者で、自ら人生を切り開いていくべきことを訴えた人物です。出生の秘密に悩まされ、兄弟たちが若くして死んでいく中で、自らも婚約破棄によって苦しみ続けたキルケゴール。彼もまた周囲との関係に苦しみながら、それでもなんとか生きていこうと思索を重ねていきました。

運命に翻弄《ほんろう》されながら、それでも試行錯誤を繰り返して生きていくのが人間なのです。

そのためには、いま自分はどういう状態にあるのか、またどういうふうに生きていきたいのか、常に考える必要があります。そうでないと、運命や周囲に飲み込まれてしまって、自分を見失ってしまうからです。

そこで孤独が求められるのです。自分と向き合うための時間です。

いや、時間だけではありません。場所も必要でしょうし、何よりそういう精神状態にならなければなりません。たとえ一人でいたとしても、気持ちが集中していないと無意味なのです。

そうして自分に集中することができれば、人生は１８０度変わるといっても過言ではないでしょう。さまざまなものが見えてくるからです。走り続けているだけでは見えないもの、人々の中に埋もれているだけでは見えないものが。

自分を見つめることを哲学用語では「反省」といいます。失敗して反省するというときのあの反省よりも、もう少し意味が広いのです。

英語でいうとリフレクション（reflection）ですが、こちらのほうがわかりやすいでしょう。反映と訳される語です。つまり、自分の心に反映させて、物事の意味を考えるということです。

そうしないと、物事は自分の心を素通りして、誰かが言ったままのものとして受け止められることになるからです。いわゆる鵜呑みにするという状況です。

自分に集中することがいかに大事か、おわかりいただけたでしょうか。

【孤独の効用2】　本質が見えてくる

資本主義の餌食にならない

さて、そうやって自分に集中すると何が見えるか。

まず物事の本質が見えてきます。世の中の本質がわかると言い換えてもいいでしょう。残念ながら物事の本質は常に隠されています。私たちが見ているのは、表面的な、あえていうなら物事の虚飾にすぎません。

なぜ物事は虚飾で飾られているのか？　それは人間が欲望の生き物だからです。**私たちは欲に目がくらんで、物事をきちんと見ることができないのです。**

そしてそんな人間の性質を利用して、あえて物事を虚飾で覆って提示しようとする人たちがたくさんいます。

物を売るというのは、そういうことです。派手な見かけや宣伝文句に踊らされて、私たちは不要なものさえ手に入れてしまうことがあります。それは本質を見ていないからです。

情報もそうです。

日ごろ私たちは、時間に追われて生きています。忙しいから新聞を読まないという若い人も増えています。ネットのサイトで見出しを見るだけだと。それがフェイクニュースの問題を生んだわけですが、背に腹は代えられないのでしょう。

しかし、そんな日々を送っていては、騙《だま》されてばかりの日常を送ることになりかねません。

世の中は悪くいえば人を騙してやろうという輩《やから》で溢れています。そこまでいかなくても、損をすることは確かでしょう。なぜなら、誰しも得をしたい、利益を上げたいと思っているので、より割高なサービスを選ばせるように仕向けているからです。それが資本主義のメカニズムでもあります。

よく調べて選ばないと、そうした資本主義の餌食になってしまうということです。

逆に世の中の本質がよくわかっていれば、自分自身が得をすることも可能です。

儲けている人は、人とつるんでばかりいません。必ず一人になって世の中の動きをじっと見つめる時間を設けているはずです。

その典型が投資家でしょう。もちろん、情報交換のためのネットワークは持っていますが、その情報を参考にしつつも、結局何が正しいのか、自分でじっくり考える時間を大切にしています。

お金持ちになるには時間に追われていてはいけないのです。むしろ時間を捕まえて閉じ込めなければなりません。自分の中に。孤独な時間を持つとはそういうことです。

楽しい時間を過ごせることが何より得

時間に追われているとき、みなさんはどういう状況にありますか？

仕事ややるべきことがたくさんある。人が来てなかなか帰ってくれない。そういう状態ですよね。つまり、**時間に追われているというのは、誰かや何かに時間を奪われている状況だともいえるわけです。**

そして人間は何をするにも考える時間が必要ですから、誰かにその時間を奪われているとしたら、何事もきちんとすることができないのは当然でしょう。

哲学者はよく「時間」をテーマにしますが、きっとじっくり考えているときに人から邪魔されたりして、気になったのではないかと思います。

たとえば、フランスの哲学者ベルクソンの時間論は、まさに考える自分と時間が一体化したようなイメージで語られています。「純粋持続」という概念がそれです。

時間を純粋持続としてとらえると、人間の外側にあるのではなく、むしろ内側から生じ、直観されるものになります。いわば心の中の時間なのです。だから分割することもできません。

別の言い方だと、時間の瞬間瞬間は別々のものではあるものの、実は自分の中でそれらがつなげられ、一部分が全体を映し出すような形で存在するものだというのです。

意外な感じがするかもしれませんが、考えることに集中しているときは時間のことなど忘れていますから、もしかしたらベルクソンの言うとおりなのかもしれません。

私自身は、ポジティブな孤独論とは孤独な時間に関する議論でもあると思っているのですが、それはこうした理由からです。

自分の時間がないというのは、自分が考える時間がないということであり、ひいては自分らしく生きることができないことを意味します。

何かで成功したくてもできない、お金を儲けたくても儲けられないのです。いや、成功やお金持ちになることだけが世の中の本質を見極める目的やメリットでないのはもちろんです。

何より得なのは、楽しい時間を過ごせるということでしょう。生きるということは選択の連続です。世の中の本質を見極めることができれば、常に自分が快適だと思うほうを選べます。それができないから、私たちは日々苦しんだり、悲しんだりすることになるのです。

【孤独の効用3】　生き方が見えてくる

真の個人主義＝開かれた共同体主義

次に、その延長線上に生き方が見えてきます。「どう生きるべきか」ということです。日常の過ごし方からいうと、少なくとも自分に集中する時間を持つべきだというのはよくわかるでしょう。だから誰もが孤独な時間を持つようになります。

少し大げさかもしれませんが、そうなると日本の文化も大きく変わっていくでしょう。いまのようにみんな同じでなければいけないなどといった、おつき合い文化みたいなものはなくなって、真の個人主義が確立していくはずです。

こんなことをいうと、「アメリカみたいな個人主義の社会が理想なのか？」と思われるかもしれません。でも、そこには二つの誤解があります。

一つは、アメリカは真の個人主義の国ではないという点です。

いまアメリカで個人主義と呼ばれているものは、利己主義にほかなりません。みんな自分が得することしか考えていない。それが現実です。

私が1年間アメリカに住んだ結果、一番実感したのはこのことです。２０１１年に勤務する学校の在外研究制度に手を挙げ、アメリカの大学で1年間研究する機会に恵まれたのです。当時関心を持っていた政治哲学の分野が盛んだったこともあり、アメリカを選んだのですが、研究で得たものより、実際の生活の中で経験したアメリカ人の哲学に大きな影響を受けました。

たとえば、ハリケーンで停電しても、自分の家さえ発電機でなんとかなれば、隣の家はどうでもいいのです。おかげで私たちはホテルに避難せざるを得ませんでした。悪気があるわけではないのでしょうが、〝自分ファースト〟で、基本的にお金を払わないと助けてはくれません。

これに対して、私のいう**真の個人主義とは、自分のことだけでなく、他者のことも配慮しながら、それでいて他者に流されることなく判断できるという信念です。**

もう一つは、前のことにも関連するのですが、真の個人主義＝開かれた共同体主義でもあるという点です。

日本が共同体重視の国であることは間違いありません。それに共同体には良さもあります。誰もが助け合うとか、一体になれるとか。ただ、その負の側面がこれまでこの国と個人の足を引っ張ってきたのです。

20世紀を代表する評論家、加藤周一さんの『ひとりでいいんです　加藤周一の遺した言葉』（講談社）の中に、こんな話があります。

加藤さんはまさに個人主義を唱えたことで有名なのですが、個人主義を内包しない民主主義は、集団主義＝画一主義に陥りやすいというのです。だから知識人の役割は個人主義なのだと。

その例として、戦時中に孤独に耐えて、覚めた理性を保った人たちを挙げています。そうした意味での個人主義者が少なかったから、戦前ずるずると戦争を止められなかったのでしょう。

いや、いまもそうです。過労死するまで働くというのは、共同体主義の悪しき側面だといえるでしょう。ですから、共同体を開かれたものにする必要があるのです。

そのためには、おかしいことはおかしいと指摘できる、あるいは個人の自由な決断が受け入れられる必要があります。それができる共同体が開かれた共同体であり、個人に着目すると真の個人主義ということになるのです。

個性が重視される時代になる

真の個人主義が確立された社会においては、私たちはおのずと自分らしい生き方を選ぶようになると思います。

みんなと同じ進路を選び、一斉に大きな会社にエントリーシートを出して就職活動するようなこともなくなるでしょう。その後も定年まで同じ会社で勤め上げて、引退後は控えめに余生を過ごすなんてことはなくなるはずです。

幸か不幸か日本社会も成熟して、ようやく社会構造を転換しつつあります。終身雇用はさすがに維持することができず、どんどん雇用の流動化が進んでいるのです。就職も通年採用に向かっていますし、転職ももっと当たり前になるでしょう。そうすると、みんな同じではいられなくなります。

逆にいうと、**個人個人がもっと自分らしさを発揮していかないと、仕事にもありつけな**

い時代になるわけです。こうした時代にあっては、ますます個性が重視されます。

では、個性をどう磨けばいいのか？　それはまず自己分析をしっかりと行い、そのうえで自分の特性を活かして他者との違いを際立たせていくということしかありません。だから時間が必要なのです。自分と向き合う時間が。

これまでどう生きるかを考えるのは、就職する直前、ほとんどは大学4年生の半年くらいだったと思います。

定年後の第二の人生を考えるといっても、日本の場合はたいした問題ではなかったわけですから。退職金もあれば年金もある。しかも大きな期待もされていない。でも、これからはそんなのんきなことはいっていられません。若いころから常に考え続けないといけないのです。

そう考えると、ダラダラと人づき合いに費やしている時間がもったいなく思えてくるのではないでしょうか。

【孤独の効用４】やるべきことが見えてくる

無理に理想を求めないから幸福になれる

自分がどう生きるかということが定まれば、その人生の中で何をすべきかが見えてきます。人生のミッションみたいなものです。人生の目標といってもいいでしょう。人生を充実させるのは、このミッションや目標なのです。

だからといって、何も大きな目標がないとつまらない人生になるなどといいたいわけではありません。それこそつまらない発想です。

「少年よ大志を抱け」は、少年には当てはまっても、他のすべての人に当てはまるわけではありません。とくに大人には。大人が大人であるゆえんは、その人生経験にあります。

みんな、もともとは大志を抱いていたのでしょう。でも、現実はそうやさしくはない。だからほとんどの人は、ただ日々を懸命に生きるという方向にシフトしていきます。

当たり前のことです。それをつまらないとか、もったいないなどというのは筋が違っています。

人生というのは理想と現実の折り重なったミルフィーユのような空間です。ですから、理想を追い求めるときもあれば、現実の中で粛々と生きることもあるのです。

みなさんの人生もそうではないでしょうか？　理想を追い求めるべきときはそうする。現実を生きるべきときはそうする。

一番やってはいけないのは、現実を生きるべきときに理想を追い求めることです。それは自分を苦しめる結果になるからです。気持ちはわかりますが、決して賢い選択とはいえないでしょう。

たとえば、絶対に手が届かないところにあるものを入手しようとして、必死に手を伸ばすのは無駄でしょう。でも、もしそれがいずれ手の届くところに来るなら、そのとき手を伸ばせばいいのです。

実はこれは古代ギリシアの哲学者エピクテトスが説いているものです。

彼の言葉をまとめた『語録　要録』（鹿野治助訳、中公クラシックス）の中に、「遠方か

ら欲求を投げかけるな、いや、きみのところへ来るまで待つがいい」という記述がありま
す。

古代ギリシアの宴会では、大皿にのった料理が順番に回されていたようです。いまだと、円卓で回ってくる中華料理を思い浮かべてもらえばわかりやすいかもしれません。まだ前のほうにある料理をとろうと思っても、それはかなわないことです。ならば、そんなことを望み続けてやきもきするよりも、料理が目の前に来たときにさっととればいいだけだということです。

エピクテトスは奴隷出身の哲学者として有名な人物です。奴隷というのはどうあがいても変えることのできない身分でした。だからこのような思想に至ったのかもしれません。

かといって、決して幸福を求めないとか、幸福になれないなどという話ではありません。むしろその逆で、**無理に理想を追い求めないからこそ幸福になれる**という発想です。

そのためにエピクテトスは、我々次第でないものを軽く見よと言います。そうすることで心が軽くなるというわけです。

ここでいう我々次第でないものとは、いわば自分ではどうすることもできないもののことです。先ほどの手が届かない料理のように。

人生の多くのことが実は手の届かないことなのではないでしょうか。にもかかわらず、私たちはその見極めを誤って、いたずらに手を伸ばしては苦しんでいるのです。どうして届かないいんだと。

タイミングを逃さない

結局大切なのは、そのつど自分が何をすべきかがちゃんとわかっているということです。現実を生きるべきときに理想を求めて失敗するのは賢くないと書きましたが、逆に理想を追い求めるべきときにそれをしないのも残念です。

物事にはタイミングがあるのです。その意味で、しっかりと自分と向き合い、タイミングを見計らう必要があります。

そうしたタイミングをうまくとらえられないのは、個人にとってだけでなく、社会にとっても損失です。なぜなら、**孤独を引き受けるということは、ある意味でこの世の中全体を引き受けることでもあるからです。**

芸術家の岡本太郎が、『自分の中に孤独を抱け』（青春文庫）の中で、孤独についてこんな言葉を残しています。

「人間は、孤独になればなるほど人間全体の運命を考えるし、人間の運命を考えた途端に孤独になる」

たとえば、本当に世の中を良くしたいと思ったときには、愛する人たちとも別れ、孤独になる必要があるのかもしれません。そうでないと、迷惑がかかるからです。

極端な例ですが、もし自分が独裁勢力と闘うレジスタンスの活動家だったとしましょう。その場合、世の中のためにあえて危険な行動をとるのですから、孤独にならないと周囲が巻き込まれてしまいます。

私が伊藤忠商事を辞めて社会を変えようと決意したとき、足りなかったのはそういう気持ちだったのかもしれません。いわば孤独になる覚悟が欠けていたのです。だからうまくいかなかった。

歴史上、多くのレジスタンス活動家たちはそんな悲しくも勇気ある選択をしてきました。岡本太郎自身、そうだったのかもしれません。彼もまた、一人芸術に対峙《たいじ》する人生を送ってきました。パリで過ごした十数年を含め、常に孤独に世界を背負っていたのでしょう。もし世の中を変える可能性があるとしても、その人がタイミングを失してしまえば、世の中は変わることはありません。だから**タイミングを逃さないように、人は常に孤独になる時間を持つべきなのです。たとえ短い時間であったとしても。**

もっとも、個人的には、これからの時代はずっと、その日一日を楽しむという生き方をするのでもいいように思っています。私はそれを「今日楽主義」と名づけて、人生１００年時代の望ましい生き方として推奨してさえいます。

とくに成熟したこれからの日本では、政治的な革命が求められるわけでもないでしょう。むしろ平和な命長き時代を、個人がいかに充実して過ごしていくかが重要だと思うのです。でも、それさえも見えずにさまよっている人がなんと多いことか。それは自分に集中する時間を持たないからです。

【孤独の効用5】　幸福をもたらす

幸福とは心の充足

孤独は幸福をもたらす。

そこまでいうと驚かれる方もいるかもしれません。でも、すでに述べてきたポジティブな孤独は幸福をもたらすといえば、わかっていただけるのではないでしょうか。

本書の冒頭で、ショーペンハウアーの『孤独と人生』にある一節を紹介しましたが、あの本は『幸福について』という邦題で訳されているものもあります。つまり、彼のように「静かでつつましやかな、しかも誘惑のなるべく少ない生き方」を望む人にとっては、孤独こそが幸福をもたらしてくれるということです。

たしかにショーペンハウアーは生涯独身でした。でも、**物理的に一人で生きることが不幸だというのは、偏見にすぎません。**

家族と暮らしていても地獄を味わっている人はいます。そこまでいかなくても、そもそも結婚して家族を持つのが幸せだという発想は、社会が植えつけたイメージであるのは間違いないでしょう。現に生涯独身の人だって楽しく生きていますし、逆に家族がいる人がそれをうらやましく思うこともあるのです。

少子化とか晩婚化などという言葉は、いかにも「産めよ増やせよ」の国家目線の表現であることに気づかなければなりません。

そうやって思い込みを取り除くと、一人で生きることイコール不幸にはならないはずです。

でも、だからといって、一人で生きることイコール幸福だともいえません。幸せな家族やカップルはたくさんいますから。

大切なのは、人数ではないのです。幸福にとって大事なのは、なんといっても心の充足です。

あまたある幸福論が説いているのは、基本的には同じことです。

古代ギリシアの幸福観エウダイモニアは、純粋に観照的な生活のことを指していました。

つまり、心を落ち着けてじっくり考えることです。

その後のヘレニズム期には、エピクロス派がアタラクシアを、ストア派がアパテイアを説きましたが、これらはいずれも心の平穏を意味しています。

ただ、それを実現するための方法が異なるだけです。前者は快楽を満たすことによって、後者は逆に禁欲的になることによってそれを実現するというのですが、求める心の状態は同じなのです。快楽でさえ、その飽くなき追求は単なる不満をもたらすだけですから。

近代や現代における幸福論も、こぞって心の充足を訴えます。「三大幸福論」と呼ばれるアランやラッセル、そしてヒルティの『幸福論』もそうです。もちろん、それぞれ特徴はあるのですが。

日本の哲学にいたっては、ますます心の充足こそが幸福だとされているのが明らかでしょう。禅の思想はその典型といえます。座禅による瞑想が目指すのはそうした境地にほかなりません。

幸福がこうした心の落ち着きによる充足感のことをいうならば、ポジティブな孤独によってそれがもたらされ得るのはよくわかると思います。

いや、**真の心の落ち着きは、孤独によってしかもたらされ得ない**とさえいえると思います。なぜなら、他者といることでもたらされる心の充足は、必ずしも心を落ち着かせてはくれないからです。

愛する人といると心が落ち着くという人がいるかもしれませんが、むしろドキドキしていることもあるでしょう。たとえ家族といて心が落ち着いているようなときでさえ、厳密にいうと自分の心は誰かのもとにあるのです。つまり、他者に気をとられていて、自分に集中できていないのです。それは真の意味での心の落ち着きではありません。

だから本当の幸福を手に入れるためには、孤独になる必要があるのです。たとえ短い時間であったとしても、そこで感じた幸福を持続させればいいのですから。

【孤独の効用6】　むしろカッコいい

ハードボイルドは孤独だからカッコいい

ここまで、孤独を強さに変えるべきだということについて書いてきました。とりもなおさずそれは、一見ネガティブなイメージのある孤独をポジティブなイメージに転換するためです。

孤独はカッコ悪いとか寂しいとか、そういった印象を払拭したかったのです。なぜなら、孤独は決してそんなものではないからです。

私自身は一人でいるとき、ぼっちと言われようが憐れまれようが、もはやまったく気になりません。ただ、若い人たちがそうした偏見に苦しみ、せっかく一人で充実した時間を過ごせるはずが、その貴重な時間を無駄にしてしまうのはもったいなく思います。だから孤独はカッコいいというイメージをつくりたいのです。

幸い世の中には、孤独イコールカッコいいという印象をもたらしてくれるキャラクターや言葉が少なからずあります。

たとえば「ハードボイルド」。一般にハードボイルドとは、ゆで卵が固くゆでられた状態を指すわけですが、そこから転じて、感情に流されない強靭《きょうじん》な性格を表す言葉として使われています。とりわけ小説や映画などの主人公のキャラクターを形容する言葉として用いられることが多いように思います。

中でも私が典型的だと思うのは、ジブリアニメの宮崎駿監督作品「紅の豚」の主人公マルコです。マルコは豚にもかかわらず、渋くてカッコいい。感情に流されることなく、強靭な性格を持った人物です。元は人間だったのですが、魔法によって豚の姿になっています。

私が興味を持ったのは、外見は豚でもハードボイルドならカッコいいということです。では、なぜハードボイルドはカッコいいのか？　それは孤独だからです。

マルコもそうであるように、過去を背負っていることから、あえて誰ともつるまない、親しくしない、もちろん愛さないという態度を貫いています。

そうして必然的に孤独に生きることになるのですが、その姿に惹かれるのです。自分さえ心を許せば、周りの人は寄ってくるでしょう。でも、あえてそれをしないのです。その**積極的に孤独な道を選ぶ態度に、多くの人たちはしびれる**のだと思います。自分にはとてもできることじゃないと。

そう、孤独を選ぶということは、そう簡単でないだけにカッコいいのです。

私たちの身の回りにも、みんながつるんで飲みに行くというときに、一人「今日はやることがあるから」と言って背を向けられる人がいたら、やはりカッコいいと思うのではないでしょうか。

普通は誘惑に負けるはずです。あるいは寂しいからついて行く。ハードボイルドはそこが違うからカッコいいのです。

凛として生きる

あるいは言葉もそうです。

私が好きな日本語の表現の一つに、「凛とした」という言葉があります。孤独を連想させるイメージがあると同時に、しかしこんなに美しくもたくましい表現があるでしょうか。

もともと凜というのは、寒くて身が引き締まるようだという意味を持つ漢字で、そこから身が引き締まるような、厳しく畏《おそ》れ多い人物を形容する語になったようです。

したがって、凜としたというのは、態度が凜々しく引き締まっている様子を指すものであって、決して悪いイメージではありません。むしろ女性を形容するときには、美しささえ含意することがあります。

私は、この言葉こそポジティブな孤独を形容するのにふさわしいものの一つだと思っています。

そう思っていた矢先、作家の伊集院静さんの著書『ひとりで生きる　大人の流儀9』（講談社）の中に次の表現を見つけて、思わず膝を打ちました。

「周囲の人々を見ていて、あの人は生きるカタチがイイナとか、あんなふうに少しでも生きることができれば……、と思えた人は、一人で生きているように映る。凜とした姿に見える」

一人で生きる、孤独に生きるというのは、凛として生きることにほかならないのです。**誰が何と言おうと、世の中どうなろうと、自分は自分らしく生きるという姿です。**それは力強く、そして美しい生き方なのです。

今風にいえばクールということになるのかもしれません。でも、ちょっと軽いですよね。世の中には影を持った人がいます。カッコいいのにどこか影がある。でもなぜか惹かれる。そういう人は群れません。だからカッコいいのですが。そんなクールさです。

ダークヒーローは孤独だから強い

なぜいつの時代もダークヒーローが主役に匹敵するほどの人気を誇るのか？

文学でいうとドン・キホーテ、あるいはもう少し身近なところでは私が子どものころに憧れた「機動戦士ガンダム」の赤い彗星、シャア・アズナブル、世界的にも人気がある「スター・ウォーズ」のダース・ベイダーなど。彼らはみんな影のあるダークヒーローです。

ダークヒーローは「ダーク」とつくだけあって、みんな暗い過去を背負っていたり、心に闇があったりするのです。

そう、彼らはどこかしらみんな孤独なのです。でも、その孤独な部分があるおかげで、強さを発揮できたり、成功したりしています。

私たちはついヒーローの明るさにばかり目が行きがちですが、世の中は決して光だけでは成り立っていません。闇があるから光があるのです。両者は表裏一体だといっても過言ではないでしょう。夜があるから昼がある。陰陽思想はそれを分析した結果です。

ですから、**リラックスして楽しく騒ぐだけがいい人生ではないのです。**反対に寂しげに、しかし力強く立つ凛とした姿もまた、人生の美しさを表現しているのではないでしょうか。

そう、孤独な時間です。ただし、イキイキとした孤独な時間ですね。

【孤独の効用7】　天才になれる⁉

天才と孤独の相関性

最後にもう一つ、ポジティブな孤独の効用を挙げておきたいと思います。それは孤独が天才を生むという話です。

孤独の効用をたくさん述べてきましたが、この話はさすがに眉唾《まゆつば》ものだと感じる方もいるかもしれません。でも、これもまた本当なのです。

親も先生も、子どもは友だちと仲良くすることがいいと思っています。たしかにその通りです。でも、天才になるためには孤独なほうがいいのです。

『天才を生んだ孤独な少年期　ダ・ヴィンチからジョブズまで』（新曜社）の中で、著者の熊谷高幸さんは、レオナルド・ダ・ヴィンチからスティーブ・ジョブズまで、歴史上の天才と称される人たちが孤独な少年期を過ごしていた事実を紹介しています。

なぜ彼らが孤独によって天才になり得たのか？

それは、孤独になることによって、自分の中に「もう一人の自分」を生み出し、その自分と向き合うからだといいます。

天才は、自分自身と向き合うことで考えを確立しているのです。通常の人とは異なり、他者に頼らず解決方法を見出すわけです。

もちろん、孤独だけが天才を生むわけではないでしょう。高い認知能力や思考力が求められるのはいうまでもありません。ただ、孤独という要素が影響している点に着目する必要があると思うのです。

「天才は孤独だ」という表現はよく耳にしますが、こちらは理解しやすいでしょう。天才の中には、誰もわからないような変わった考え方をする人が多いので、なかなか人から理解されないということです。

でも、天才が人から理解されないとき、本当はどのように感じているのでしょうか？たしかに、仲間になりたいのに相手にされないのはつらいでしょうが、天才はそんなことを望んでいないはずです。

自分のすごい考え方を他者が理解できないのは、むしろ優越感を覚える状況なのではないでしょうか。

私は天才になったことがないのでわかりませんが、人と違う考え方ができたときや、人が気づいていないことを発見したときは、少なくとも優越感を覚えるものです。

だとしたら、天才であるがゆえに感じるのはネガティブな意味での孤独では決してなく、私のいうポジティブな孤独であるように思うのです。

いずれにしても、天才と孤独は相関性があるということです。

逆にいうと、天才にまでなれるかどうかはわかりませんが、孤独な時間によって自分と向き合い、自分で解決方法を見出す習慣をつくれば、少なくともこれまでの自分より賢くなれるのではないでしょうか。これは合理的な話だと思います。

答えをすぐ誰かに期待する、インターネットで検索してしまう人よりも、じっくり一人で考える人のほうが、頭が鍛えられるに決まっていますから。

賢くなれるかどうかは、本当は頭の良しあしではないように思います。自分で考える時間をとっているかどうかです。孤独な時間を。

第4章

孤独の達人に学ぶ

世界の偉人たちはいかに孤独を愛したか

哲学者はみんな孤独だった

前章で述べたように、孤独にはいいことがたくさんあるのですが、大切なのはネガティブな孤独からポジティブな孤独に転換することです。

ネガティブな孤独にさいなまれている人にとっては、孤独なんてないほうがいいに決まっています。それよりみんなと楽しく生きたい。そう思っているに違いありません。私自身もそうでしたから。でも、理想はその先にあるのです。さらにそれを超えたところに。

この理想を手に入れるための方法を論じる前提として、ここで歴史上の哲学者たちがいかに孤独について論じ、またいかに孤独を愛してきたかを概観しておきたいと思います。

彼らの珠玉の言葉を手がかりに、ポジティブな孤独を手に入れるための方法を考えてみましょう。

哲学は孤独な営みです。もちろん、ポジティブな孤独ということです。とするならば、**一流の哲学者たちは、みんなポジティブな孤独の達人だといってもいいでしょう。**

孤独について考え抜いた人たちの言葉だからこそ、その孤独観には深みがあります。つまり、こちらもまた考えさせられるのです。孤独をめぐる偉人との対話が可能になるということです。

中には、言葉通りの孤独な人生をあえて送った人たちもいます。ショーペンハウアーだけでなく、ニーチェやホッファー、そして老子など。

彼らがいかに孤独な生活を力強さに変えていったか？

ぜひ偉人の孤独観、そして孤独生活の実践例を参考にしていただければと思います。

ひと言でいうならば、これら孤独の達人から学べるのは、孤独の深さと力強さだといっても過言ではないでしょう。

孤独は間にあるものだと説いた三木清

孤独は山になく、街にある。一人の人間にあるのでなく、大勢の人間の「間」にあるのである。孤独は「間」にあるものとして空間の如きものである。「真空の恐怖」――それは物質のものでなくて人間のものである。

『人生論ノート』（新潮文庫）

三木清（1897―1945）。日本の哲学者。実存哲学を独自の視点で発展させた。マルクス主義運動の一翼も担った。最後は治安維持法で逮捕され、獄死している。著書に『人生論ノート』『歴史哲学』などがある。

短い言葉の中に、孤独の本質がずばり表現されています。

まず孤独が山にではなく、街にあるというたとえ。つまり**孤独というのは、街のような**

にぎやかな環境だからこそ感じるものだということです。

自分が一人だということは、目の前にいる他の人たちとのつながりがないことを実感してはじめてわかることです。自分しかいなければ、つながりを意識することもないでしょうから。それが山の中なのです。

目の前に人がいるのに、その人との間には距離がある。大勢の人間の「間」。

三木はそれを空間のようなものだと言っていますが、もちろん心理的な距離のことを指しているのだと思います。

たしかに誰かと一緒にいるのに、なぜか距離を感じる。みんなと騒いでいても、自分だけが真空の中に切り取られて存在するかのような恐怖感。そんな恐怖を感じるのはおそらく物質ではなく、人間だけなのでしょう。

ただ三木は、そんな孤独を単なる恐怖としてネガティブにとらえているわけではありません。**自己の表現活動によって孤独のネガティブな側面は乗り越えられると考えている**のです。

たとえば物について表現するとき、私たちはその物に目を向け、意識を集中させます。

無心になって絵を描く、文章を書く。そんな状況です。

これは別に仕事でもいいと思います。いいアイデアが浮かんで、無心で企画書を書いている瞬間などはそうでしょう。

たとえ一人だとしても、何かに集中し、それに自己を投影して言葉や形にしようとした瞬間、頭の中から孤独に対する恐怖は消えています。むしろ一人でいるその瞬間に喜びさえ感じているのではないでしょうか。誰にも邪魔されたくないはずですから。

三木は孤独を乗り越える方法について書いていますが、私にはネガティブな孤独からポジティブな孤独への転換方法を論じているように読めます。
だからネガティブな孤独は山にはないけれど、ポジティブな孤独は山にあるのではないでしょうか。

一人になって自然に集中し、ひいては自分と向き合うことができるのですから。

孤独と創造を実践したホッファー

人々にまじって生活しながら、しかも孤独でいる。これが、創造にとって最適な状況である。このような状況は都会にはあるけれども村とか小さな町にはない。創造的状況の他の構成要素は、決まりきったこと《ルーティーン》、刺激のなさ、さらに少々の退屈と嫌悪などである。ほとんどの場合、創造の原動力となるのはささいな、だが持続的ないらだちに対するおだやかな反発である。

『波止場日記　労働と思索』（田中淳訳、みすず書房）

エリック・ホッファー（1902―1983）。アメリカの哲学者。「沖仲士の哲学者」あるいは「独学の哲学者」などと呼ばれる。徹底して知識人批判を行い、働くことの意義を訴えた。著書に『大衆運動』『波止場日記』などがある。

エリック・ホッファーほどポジティブな孤独を実践した哲学者はいないと思います。なぜなら彼はネガティブな孤独を嫌というほど味わった後、それを乗り越えてあえて孤独な生活を楽しんだ人物だからです。

早くに両親を失ったホッファーは、18歳で天涯孤独の身になってしまいました。そこで日雇い労働者として生きていくことを決心したのです。学校も出ていないので、仕方がなかったといいます。ただ、本を読むのが好きで、どこに引っ越しても図書館の近くに住んでいました。

早死にの家系なので、自分も40歳までに死ぬと思っていた彼は、希望を失って27歳のときに自殺未遂を図ります。しかし、一命をとりとめてからは、あえてポジティブな孤独の人生を送るようになるのです。

港湾労働者として腰を落ち着け、労働と読書、そして執筆を楽しむ毎日を送るようになりました。人柄がいいので、彼を愛する女性も何度か現れましたが、自分から身を引くようにしていたのです。最後まで幸せにすることはできないと思っていたからです。だから仕事仲間や友だちはいましたが、それでも孤独を感じ続けていたのでしょう。「人々にまじって生活しながら、しかも孤独でいる」というのは、そういうことだと思います。

カリフォルニアの都会で、街の喧騒を横目に一人黙々と荷物を積み下ろし、読書をする日々。当然、自分と向き合う時間も多かったと思います。

ある意味で、自分を孤独に追いやった社会にある種の怒りを覚えながら、彼は創作を続けたのです。でも、その境遇がなかったら、彼は哲学者として本を書くことなどできなかったのではないでしょうか。**寂しさも孤独もない中で満足して生きていれば、きっと世の中に対して何かを言いたいという気持ちにはならない**のだと思います。

些細ではあるけれども、持続するいらだちが創造を生む。まるでカキがひと粒の砂に対するいらだちから、それに抗して徐々に美しい真珠を生み出すように。これはホッファー自身が用いている比喩です。

孤独が創造を生み出すということ、そしてなぜそうなるのかがよくわかっていただけたかと思います。

日雇い労働者として働きながら一人静かに物を書き続けたホッファーは、晩年アメリカ大統領自由勲章を授与されました。ポジティブな孤独こそが偉大な人物を生み出すのです。

考えることの孤独を説いたパスカル

だから、われわれの尊厳のすべては、考えることのなかにある。われわれはそこから立ち上がらなければならないのであって、われわれが満たすことのできない空間や時間からではない。

『パンセ』（前田陽一・由木康訳、中公文庫）

ブレーズ・パスカル（1623―1662）。フランスの科学者・思想家。人間の生き方をエッセー風に表現したモラリストの代表的人物。また、デカルトを批判して、論理的思考だけでなく、感情が必要であると訴えた。著書に『パンセ』などがある。

フランスの哲学者パスカルが書いた『パンセ』は、もっとも有名な哲学書の中の一つでしょう。

とくに人間は「考える葦《あし》である」という表現は、多くの人がどこかで耳にしたことがあるものと思います。しかしその詳しい意味について知っている人は意外と少ないのです。

実はこの言葉は、ポジティブな孤独と深く関係があります。

先ほど紹介した一文は、「考える葦である」という表現の後に出てくるものです。つまり、人間は考えるという点において尊厳がある、そこが同じように弱い存在である葦という植物との違いだというわけです。

これはよくわかると思います。悩んだりへこんだり、ちょっとしたことで心がポキッと折れてしまう人間は、まさにか細いひと茎の葦に似ています。でも、葦との大きな違いは、考えることができる点です。

では、どうしてこれがポジティブな孤独と関係してくるのか。それはパスカルが、空間や時間と考えることを比較している点です。

人間という存在がどこから出てくるか。それは考えるということであって、空間や時間ではないというのです。なぜなら、私たちは空間や時間を満たすことはできないからです。それは私たちの外にあるものであって、本来私たちとは関係のないものだといってもいいでしょう。

ややもすると私たちは、自分の住んでいる世界や、自分が生きている時代を自分自身と同一視し、まるでそれらが自分次第でなんとでもなるかのように思いがちです。

しかし、世の中や時代を自分がコントロールできるわけではないのです。だから苦しむのです。できないことをしようとして。そうではなくて、私たちにできるのは、自分自身を満たすことだけなのです。

言い換えると、自分自身を満足させることなら、自分一人でできます。

どうやって？　それが思考という手段にほかなりません。

だからパスカルは、考えることから立ち上がらなければならないと言うのです。そこから自分の存在を見つめ直せということです。

そのためには、**自分の外部ばかりに目を向け、相手にしてもらえないとか、うまくいかないなどと嘆いていても仕方がありません。むしろ一人静かに自分と向き合い、世界じゃなくて自分を変えるべきだと気づいたほうがいいでしょう。**

もうおわかりかと思いますが、ポジティブに孤独な状態に向かったほうが満足や心の平静が得られるのです。

パスカルはさらにこうも言っています。

「空間によっては、宇宙は私をつつみ、一つの点のようにのみこむ。考えることによって、私が宇宙をつつむ」

世間に踊らされている限り、私たちは飲み込まれてしまうだけです。逆にポジティブな孤独の中で自分と向き合うことができれば、自分自身が世間を飲み込むことも可能になるのです。

ぜひ空騒ぎする世間を嗤《わら》える自分になりましょう。

神と共にある孤独を説いたヒルティ

単なる静寂と孤独の生活だけで、神と共にある力強い生活がそれと結びついていなければ、それは誘惑にたいする護りにも、完成への道の助けにもならない。

『眠られぬ夜のために　第一部』（草間平作・大和邦太郎訳、岩波文庫）

カール・ヒルティ（1833―1909）。スイスの哲学者。もともとは弁護士で、スイス陸軍の裁判長にまでのぼりつめた。文才にも長けていたことから、キリスト教の立場から幅広い著作活動を行う。著書に『幸福論』『眠られぬ夜のために』などがある。

あえて孤独な時間を過ごしても、それだけでは足りない。スイスの哲学者ヒルティはそう言います。ただ、彼の場合は敬虔《けいけん》なキリスト教徒なので、そこに神を持ち出してきます。孤独に加えて、神と共にある力強い生活が必要だと。

しかしここでは、キリスト教の文脈を超えて、二つ大事なことが語られているように思います。

一つは、**単なる孤独だけでは、誘惑に打ち克ったり、成功したりすることはできない**という点です。

もう一つは、**そのために力強い生活が必要**だという点です。

それぞれ私なりに意味を考えてみたいと思います。

まず一つ目の指摘についてです。どうしてあえて孤独を選んでも、それだけではダメなのか。ひと言でいうと、それはまだポジティブな孤独になっていないということでしょう。孤独を選べばそれで問題解決などということはあり得ません。一見ポジティブに孤独を選んだかのように見えますが、それはまだ入り口に立っただけにすぎないのです。

ポジティブな孤独によって誘惑に打ち克ち、成功の道を歩むためには、文字通りその孤独な道を歩んでいく必要があるのです。入り口に立ち止まっているだけではダメなのです。もし、積極的に孤独の道を選んだはずなのに、ただむなしいとか、寂しいなどと感じている人がいたら、それはまだ入り口で佇《たたず》んでいるだけだからです。ぜひ前に進んでみてください。きっと気持ちも状況も変わるはずです。

でも、どうやって前に進めばいいのか？　そこで二つ目の点が関係してきます。力強い生活が必要だという点です。

ヒルティ自身は「なんらかの実践的な仕事」と表現していますが、ただ何かをすればいいということではありません。というのも彼の場合、ここに「神と共にある」という条件がついているからです。つまり、神の文脈を一般的な状況に置き換えるなら、ここで求められているのはまさに自分と向き合う努力なのではないでしょうか。

自分には神がついている、だからそのご加護を信じてやるべきことに懸命に取り組もう。おそらくヒルティはそういう状況を想定しているのでしょう。

とするならば、**神が心の中にいない場合は、自分の力を信じて、やるべきことに懸命に取り組むしかないのです。**

したがって、自分の力を信じて懸命に取り組むことが、力強い生活になるのだと思います。これによってはじめて私たちは、孤独の入り口から力強い一歩を踏み出すことができるのではないでしょうか。

孤独を力強さに変えたニーチェ

人は或る種の人々にはひとりでいることを気持ちよく許してやり、よくあるように、彼らをそのためにあわれむような愚かな真似はせぬようにしなくてはならない。

『人間的、あまりに人間的I』（池尾健一訳、ちくま学芸文庫）

フリードリッヒ・ニーチェ（1844―1900）。ドイツの哲学者。若くして病気のため、大学を去る。その後は孤独に文筆業に専念。キリスト教を批判し、強く生きるための哲学を唱えた。著書に『悲劇の誕生』『ツァラトゥストラはかく語りき』などがある。

ニーチェは孤独について多くのことを論じています。彼はまさにポジティブな孤独を賛美した哲学者だったからです。

彼自身、孤独の中で強く生きようと努めていたことも影響していると思います。嫉妬という誘惑と闘いながら、また信じた友に裏切られたりしながら、ついにポジティブな孤独を手に入れたのです。

一人でいることを気持ちよく許し、憐れむような愚かな真似はしてはいけない。

この言葉は、ニーチェが自分自身に言い聞かせていたのでしょう。

私たちもまた、自分自身にこの言葉を言い聞かせる必要があるように思います。

ニーチェがこのようなことを言うのは、人が弱い生き物だからでしょう。**一人でいようと決意しても、つい他者が気になってしまう。そうして人と比較してへこんでしまう生き物なのです。**だからもっと力強く孤独を生きるべきだと言いたいのだと思います。

たとえば、友だちがいないからといって嘆く人がいます。でも、ニーチェはこんなふうに言います。友だちがいるなどというのは、たまたまその人に嫉妬する要因がないだけじゃないかと。

そんなふうに考えることができれば、たしかに友だちがいないことをそんなに悲観する必要はなくなります。つまらない人といても仕方がないですから。

では、一人でいることを真の意味で楽しめるようになった人間は、いったいどうなるのでしょうか？

ニーチェの表現でいうと、おそらく「高級な自己」を見出すことができるようになるのだと思います。

わかりやすくいうと、それは理想の自己です。画家であれば、「彼がみて描くことのできた彼の最高の幻想」がそれに当たると言います。

その高級な自己を見出すことができれば、人は他者がどうであれ一切動じることなく、ポジティブに孤独を追求していけるに違いありません。

だから自分と向き合う必要があるのです。高級な自己を見つけられるまで。

一人でいる自分を愚かだと感じ、自らその過程を邪魔するような真似をしてはいけません。ニーチェはそう訴えかけているのです。

孤独になると増えるものがあると説く老子

人々がなりたくない者は、孤児とか独り者、善くない者であるが、それなのに王公はそれを自称としている。だから、物ごとには減らせば増えることもあり、増やせば減ることもある。

『老子』（蜂屋邦夫訳注、岩波文庫）

老子（生没年不詳）。中国の思想家。道家の始祖とされる。元は官職についていたが、世捨て人になったとの説もある。世界の根本原理として道の存在を説き、何もしないほうがいいとする無為自然を勧める。著書に『老子』がある。

中国の思想家にも登場してもらいましょう。老子です。

必ずしも孤独について論じた箇所ではないのですが、私はやけにこの言葉が気になりました。「減らせば増えることもあり、増やせば減ることもある」、たしかにそうです。

老子が例に挙げているように、人間は一人が嫌だなどと言いながら、この世で一番高貴な人間は一人でいることを望む。当時でいうと王です。

いまもそうでしょう。国家のリーダーや会社のリーダーもそうです。寂しいから二人でやろうという元首や、集団でやろうという社長はいません。トップは常に一人なのです。それはトップになる人間がそれを望むからです。いかにも不思議ですよね。

でも、老子の言葉を見ればその理由がわかります。減らすほど増える。つまり**一人であるがゆえに、そこに集中する権力は増えるのです。**

逆にリーダーが三人いれば、権力は三分割されてしまいます。三権分立はそれを狙ったものです。

さて、この話を孤独に当てはめるとどうなるか。あえて孤独を選ぶと、何かが増えるということです。

何が増えるのか？

まず考えられるのは、**自分の分け前でしょう。**

誰かと食事をすれば、分け合う必要がありますし、誰かとカラオケに行けば、自分が歌える時間が減ります。

次に、**考える時間が増えます。**

人と話しているときや、人の話を聞いているときは、自分が考える時間が減ります。ひいては自分と向き合う機会も少なくなるのです。

さらにいうと、成功するチャンスも減るのかもしれません。

老子は物事を分割することを戒めた思想家でもあります。すべては一つであることを説いたのです。

時にそれは「道」と呼ばれたりします。老子にとって道とは、この世を支配する原理そのものを意味しています。

だから一つなのです。もしそれを分割してしまったら、力も分散してしまうでしょう。

成功したいなら、道と一体化するのがいい。それが老子の説く無為自然の思想です。

何にもあらがうことなく、大きな力と一体化せよということです。つまり、孤独になったほうが成功するのです。

孤独と愛の関係を説いたフロム

もし、自分の足で立てないという理由で、誰か他人にしがみつくとしたら、その相手は命の恩人にはなりうるかもしれないが、二人の関係は愛の関係ではない。逆説的ではあるが、一人でいられる能力こそ、愛する能力の前提条件なのだ。

『愛するということ』（鈴木晶訳、紀伊國屋書店）

エーリッヒ・フロム（1900―1980）。ドイツの社会心理学者。フロイトの精神分析を社会に適用。とりわけファシズムの心理学的起源を明らかにすることで、民主主義のあるべき姿を浮かび上がらせた。著書に『自由からの逃走』『愛するということ』などがある。

なかなか恋愛できないという人が多いようです。

フロムに言わせるとそれは現代的病なのですが、病である以上治すことは可能です。そのためにフロムは愛を技術と位置づけ、その習得方法を説きます。彼が前提条件として求めるものの一つが、一人でいられる能力です。たしかに逆説的です。普通は一人でいられないから誰かといようとするはずです。にもかかわらず、**一人でいることではじめて恋愛できるというのですから。**ただ、単に人に頼るだけだと命の恩人になってしまうと聞くと、彼の言わんとすることがわかると思います。

恋愛とは決して一方的なもたれかかりではないはずです。だから自分がしっかりする必要があるのです。

でも、そのためにはどうすればいいか？

ここでフロムは、技術の習練に必要なものとして、**「規律」「集中」「忍耐」**の三つを挙げています。

中でも集中力を身につけるのが一番むずかしいと言います。なぜなら、私たちの身の回りには集中力をそぐものがたくさんあるからです。

フロムは20世紀の哲学者ですが、すでに情報過多の時代に突入しつつあったのでしょう。いまならなおさらです。

ちなみにフロムは、集中力を身につけるためには、くだらない会話をできるだけ避けることが大事だとも述べています。

いまだとおつき合いで続けてしまうＳＮＳでしょうか。そういう雑音をシャットアウトし、集中力を手にしたときにはじめて、私たちは一人きりでいられるようになるのです。

そうなってはじめて恋愛する準備が整います。あとはアタックするのみです。

そもそも告白することをアタックするというように、人に頼ろうという気持ちでいては無理でしょう。アタックされたときも同じです。**相手を受け止められるよう、しっかりと自分の足で立っていなければならないのです。**

ポジティブな孤独は恋愛の条件でもあるのです。

孤独と幸福の関係を説いたラッセル

偉大な本は、おしなべて退屈な部分を含んでいるし、古来、偉大な生涯は、おしなべて退屈な期間を含んでいた。

『ラッセル幸福論』（安藤貞雄訳、岩波文庫）

バートランド・ラッセル（1872―1970）。イギリスの哲学者。数理哲学の専門家。徐々に政治に関心を持ち始め、晩年は平和運動に邁進し、ラッセル＝アインシュタイン宣言を発表。ノーベル文学賞も授与されている。著書に『哲学の諸問題』『幸福論』などがある。

ラッセルの言葉をかみしめるたび、**退屈な時間をどう過ごすかで人生の偉大さが決まってくる**ような気がしてなりません。

ラッセルもまた幸福になるための方法論として退屈のススメを説いているのですが、それはとても説得性に満ちています。

おそらくラッセル自身が孤独な少年時代を送ってきたからでしょう。郊外の大邸宅で一人、本が友だちのような青春時代を過ごしたラッセル。好奇心旺盛なラッセル少年にとって、それは退屈な時間であったに違いありません。

ラッセルは他の偉人の話をしていますが、まさにラッセル自身も偉人ですから、自分の生涯を振り返って退屈の意義を感じているのだと思います。

いわば人生にはメリハリが必要だということなのでしょう。刺激ばかりの人生では、その刺激にマヒしてしまうと。

現にラッセルは、「多すぎる興奮に慣れっこになった人は、コショウを病的にほしがる人に似ている」と書いています。キリがないわけです。

もちろん、かといって退屈なだけでは人生は面白くありません。

一番いいのは、時に退屈な時間があって、それをうまく活かす人生でしょう。あたかも高く飛ぶためにいったんしゃがみ込むかのように。その時間こそが、ポジティブな孤独の時間だと思うのです。

そうやってあえて孤独な時間を過ごすのは、まるで我慢のようにも聞こえますが、決してそうではないと思います。むしろ修行といったほうがいいかもしれません。

我慢と修行の違いは、得られるものの大きさです。修行だと思えば、より多くの実りがあるはずです。

本書では、ポジティブな孤独は楽しいという前提でお話ししてきましたが、ラッセルの言うように、何事も楽しい時間だけではないのです。

孤独を選んで楽しむはずが、退屈な時間になってしまうこともあるでしょう。そんなとき、すぐに刺激を求めて逃げ出してはいけません。そんなときは修行だと思って、しばし耐えるのです。その後、必ず充実した時間が訪れるはずですから。

孤独は一人ではないと説いた和辻哲郎

人間の規定を求める哲学者が、まず人を社会より孤立させ自我として把捉するというような処置を執るとしても、この孤立化的な思索そのものが共同の問題としてなされるのである。

『人間の学としての倫理学』（岩波文庫）

和辻哲郎（1889―1960）。日本の哲学者・倫理学者。間柄という概念を用いて、独自の倫理学を完成した。風土の視点で文化を論じた風土論でも有名。著書に『倫理学』『風土』などがある。

この一文がどう孤独と関係するのかと思われた方もいるかもしれません。この前のところで、和辻はフランスの哲学者デカルトが確立した哲学の方法論を批判しています。デカルトといえば「我思う、ゆえに我あり」で知られる近世初めの哲学者です。

デカルトは世間をシャットアウトし、孤立して思索することではじめて、物事の本質が見えてくると唱えたのです。

近代以降はそれが西洋の哲学の基本的な作法になったわけですが、和辻はそこに異議を唱えるのです。なぜなら、人間は孤立した存在ではないからです。ここに和辻の基本的思想があります。

和辻は人間を間柄の存在としてとらえています。人と人との関係性においてとらえるのです。わかりやすくいうと、**人間は共同体の中で互いに複雑に関係し合って生きている存在**だということです。

その意味で西洋の個人主義とは対極的な考え方をするわけです。どちらが正しいというのを決めるのはむずかしいですが、少なくとも日本人にとっては、人間が共同体の生き物だといわれたほうがしっくりくると思います。

したがって、和辻に言わせると、一人で孤立して思索をしたとしても、そこには必然的に共同体の存在である人間というものが前提になってくるということです。

いくら世間や社会を切り離そうとしても、それは不可能だということです。もちろん、物理的には一人になることは可能ですが、それでも誰かとの関係、思い出、社会における役割がすべて消えてしまうわけではありません。

私たちはそういうものを背負ったまま、そのしがらみの中で思索せざるを得ないのです。だから**孤独になって物事を考えるとか、自分と向き合うなどといっても、決して一人ではないのです。**いい意味で、誰かがついているわけです。

私も一人で哲学するとき、過去に話した人の言葉、かつて誰かと経験したことなどが必ず頭をよぎります。それをもとに考えを発展させていくことは、心の中にいる誰かと共同作業をしているようなものです。

哲学における思索が、孤独であっても寂しくないのはそのおかげかもしれません。

孤独になれる場所の大切さを説いたモンテーニュ

そのなかでわれわれがわれわれのほんとうの自由を、もっとも肝心な引退の場を、孤独をうちたてられるような、まったく自分の持ち物である、まったく干渉されない店裏《たなうら》の部屋を自分に確保しておかなければならない。

『エセーⅢ　―社会と世界』（荒木昭太郎訳、中公クラシックス）

ミシェル・ド・モンテーニュ（1533―1592）。フランスの思想家。法官や市長も務めた。モンテーニュ城と呼ばれる城館にこもって思索を行った。懐疑主義の立場から人間の生き方を探究。著書に『エセー』『旅日記』などがある。

モンテーニュの『エセー』には、この世のすべてのことが書いてあるといわれます。それもそのはず、この本にはモンテーニュが長年かけて考え抜いたさまざまな問題が日記のように並べられているからです。

もちろん、孤独をテーマにした随想もあります。ここだけでもたくさんの名言を見つけることができるのですが、私が一番共感するのはこの引用した箇所です。たとえ家族や社会の中で誰かと生きるにしても、孤独になれる空間を確保しておかねばならないという話です。

しかもその最大の理由は、もしすべてが失われても、その環境に耐えられるようにするためだというのです。**人は自分が望まなくても孤独に追いやられることがあります。他人は去っていくものです。いつまでも同じ人たちとずっといるわけにはいきません。**死別はその典型でしょう。

そんなとき、ふいに訪れた孤独が自分を苦しめ、ついには蝕んでしまうということがよくあります。そうならないようにするためには、日ごろから積極的に孤独になるレッスンをしているかどうかが問われるのです。

モンテーニュはこうも言っています。人間だけが、人と交わったり、交わらなかったりし得る存在だと。

たしかに他の動物の場合は、集団行動をするか、単独行動をするか、どちらか決められています。それは種としての宿命のようなものです。

ところが人間は、そのいずれを生き方として選ぶか、本人に委ねられています。

また、時によって変えることも可能です。これは他の動物と比べたときにはじめて気づくことです。おそらく基本的には人間は集団の生き物なのでしょう。

しかしそれに縛られている必要はないのです。自分で選んで、積極的に孤独になることも可能なのです。だからうまくその特権を活用すればいい。これは必ずしも自分の隠れ家を用意するといった、物理的な空間だけの話をしているわけではありません。

とりわけモンテーニュは、彼自身が塔の部屋の中に閉じこもって思索を行った経験から、魂を自分の中に引き込まなければならないと説きます。それこそが本当の孤独なのだと。

つまり、積極的に孤独になることは、やはり心の問題なのです。

それはなかなか簡単ではありませんが、モンテーニュが実践したように、自分の思うことを随想という形で文章にしていく作業は、一つのきっかけになるかもしれません。

日記でもいいでしょう。**自分の外ばかりに答えを求めるのではなく、自分の中に答えを求める。**そういう態度が魂を自分の中に引き込むことになるのです。

自分と向き合う孤独の意義について論じたセネカ

ライオンやその他の動物の威力は檻《おり》で抑制されるが、人間の力は別で、その活動は閑居《かんきょ》の中でこそ最大のものとなる。『生の短さについて 他二篇』（大西英文訳、岩波文庫）

ルキウス・アンナエウス・セネカ（紀元前1年ごろ―65）。ローマ帝国の政治家、哲学者、詩人。皇帝ネロの家庭教師、ブレーンとしても知られる。ストア派の立場から、多くの悲劇や著作を残した。著書に『怒りについて』『寛容について』などがある。

セネカのこの言葉を聞いたとき、思わずハッとしました。これこそが人間の強さではないかと。

たしかにその通りです。猛獣は檻に閉じ込められたらもう終わりです。でも、人間はその逆で、檻に閉じ込められたときにこそ本来の力を発揮するのです。

もともと人間は野生の世界では弱い存在です。猛獣どころか、植物にもかなわないのではないでしょうか。

にもかかわらず、なぜその弱い存在がこの世界を支配しているのか？

それは、**人間の強さは腕力ではなく、知力によって測られるからです。**

考え、意志を強く持ち、それを実行に移す。そうした意味での知力は、自分と向き合うときにはじめて発揮されるのです。

ライオンと同じように森を走っているときには、そんな時間を持つことはできません。だから人間は狩りなどしていてはいけないのです。

むしろ人間がやるべきことは、狩りをして動物を閉じ込めるべき檻に、自らこもることです。そうすることによって、ようやくじっくり考える時間を持つことができるからです。

ただし、檻にこもれば自動的に考えるのかというと、そうでもありません。

セネカに言わせると、**自分自身や社会に役立ちたいという強い思いがなければならない**のです。

たしかに、家に閉じこもるだけならただのひきこもりです。それでは自分にとっても社会にとっても単なるマイナスにすぎません。20代後半の私がまさにそうでしたから。

大事なことは、一人になってかつ前向きに考えることです。自分のためでもいいですし、社会のためならなおいいでしょう。

セネカはまた、人生を長くするのも短くするのも自分次第だとも説いています。人生を無駄に過ごしたくなければ、できるだけ若いうちに、一人になって前向きに考える時間を持つべきだと思います。だから群れから外れることを恐れてはいけません。

孤独に思索する人生を送ったショーペンハウアー

なんぴとも完全におのれ自身であることが許されるのは、その人が一人でいるときだけである。したがって孤独を愛さないものは、自由をも愛していない。

『孤独と人生』（金森誠也訳、白水Uブックス）

アルトゥル・ショーペンハウアー（1788―1860）。ドイツの哲学者。ペシミストの理論家として有名。人間は意志を否定することではじめて苦しみから逃れられると説く。著書に『意志と表象としての世界』『視覚と色彩について』などがある。

ショーペンハウアーの孤独に関する言葉は、本書の冒頭でも紹介しました。彼は自分自身が孤独の中で精神を高めていったという自負があったので、割と孤独について論じることが多いのです。

ここでは孤独と自由の関係について論じています。ショーペンハウアーによると、人といるとき、私たちは自由ではないと言います。たしかに、誰かとつき合っているときは、その人たちに合わせないといけません。

ただ、もちろんそれが常に損失だとは思いません。人と話すことで何か新しい知見を得たり、刺激を得たりすることはあるでしょう。でも、それればかりだと、自分の中にそうした知見や刺激を落とし込むことができないのです。

そういう落とし込みの作業には、とてつもない集中力が求められます。じっくり考え、納得するというプロセスが必要だからです。それは完全に自由な状態でなければなかなかできるものではないでしょう。

私も自分の考えをまとめるときは、土曜日か日曜日に丸々一日を空けるようにしています。これが土曜日の午後と日曜日の午前中などと分けてしまうともうダメなのです。なぜなら、人間が集中するのには準備の時間が必要だからです。

徐々に徐々に集中していって、ようやく本当に集中できる時間帯を持つことができる。しかも人間の集中力はそう持続しません。せいぜい数時間です。その貴重な数時間を得るためには、やはり丸一日いるわけです。そうした時間を「孤独」と呼ぶのです。

そしてその**孤独な時間を愛さないということは、自由をも愛さないことになる。もっというと、自分を愛さないことになってしまうのです。**

だからショーペンハウアーは、自分に対してどれだけ価値を置くかに比例して、孤独な時間を持つ量が変わってくると言います。

さらに重要なのは、その孤独な時間のおかげで、自分の価値が上がることです。自分に価値を置く人が孤独を愛するのだから当然といえば当然ですが、つまり孤独な時間によって自分を高めることができるわけです。

ショーペンハウアーはそれを交響曲のパートではなく、ピアノによるソロ演奏にたとえています。

「精神の豊かな人は一人だけで小世界を形成している」

孤独は独立心の強い人に向いているのはたしかです。**個人の名前で何かを成し遂げたいと思っている人は、まず孤独になることです。それが成功への第一歩**だといえるでしょう。

ショーペンハウアーが大学を去って一人になってから成功したように、そして私が会社を辞めて一人になってから成功したように。

リーダーの孤独を説いたマキアヴェッリ

それゆえ、君主たる者は、おのれの臣民の結束と忠誠心とを保たせるためならば、冷酷という悪評など意に介してはならない。

『君主論』（河島英昭訳、岩波文庫）

ニッコロ・マキアヴェッリ（１４６９―１５２７）。イタリアの政治思想家・外交官。実務経験に根ざした鋭い政治論、リーダー論で有名。著書に『君主論』『フィレンツェ史』などがある。

『君主論』の著者マキアヴェッリ自身は、君主ではありませんでした。フィレンツェ共和国の書記官として外交に携わっていただけです。

当時のイタリアは、小国が対立し合っており、政情が不安定でした。そんな状況を肌で感じ、また外交官として他国の君主を観察することで、リアルな政治思想を形成していったものと思われます。

だからこそ彼の思想は、目的のためには手段を選ばない権謀術数「マキャベリズム」として知られているのです。

その典型ともいえるのが、君主は恐れられなければならないという主張です。冷酷という悪評など気にしていてはいけないと。

そうすると必然的に君主は孤独な存在になってしまいます。でも、それに耐えることができなければ、自らの地位だけでなく、国家をも危機に陥れてしまうのです。

リーダーというのは孤独なものなのです。でもその**孤独はリーダーであるがゆえに持たなければならないものであり、ひいてはそれは自分が責任を負う人たちのためになるのです。**

それが嫌ならリーダーになどならなければいいのです。多くの人たちと群れ、自分の運命を誰かに委ねていればいいのです。そのほうがよっぽど楽でしょう。でも、そのような生き方がいいのかどうかは別の話です。

それに、誰もが何らかの形でリーダーになる場面があるのではないでしょうか。

あらゆることにおいて、常に人に任せるという人はいないはずです。会社では平社員でも、地域で町内会長が回ってきたとか、家では少なくとも父親としてリーダーシップを発揮しないといけないなど、誰しもリーダーにならなければならない場面に出くわすものです。

そんなとき、きちんとリーダーシップを発揮できる人間になるためには、やはり孤独になることを覚悟しておく必要があります。そしてできれば、実際に孤独になる練習をしておいたほうがいいと思います。

誰にも頼ることなく判断を下すというのは大変なことです。その結果、嫌われることもあるでしょう。それを実践経験なしにやるのは至難の業だからです。

孤独の中に休むべきだと説いたマルクス・アウレリウス

人間が引きこもる所として、自己自身の魂以上に、より閑静な場所も、また煩わしさのより少ない場所も、どこにもないからである。とりわけ、自己の内部に、じっとそこをのぞき込むことによって直ちに自分がすっかり寛げるようなもの〔原則〕をもっている人にとっては、そうである。

『自省録』（水地宗明訳、京都大学学術出版会）

マルクス・アウレリウス・アントニヌス（121―180）。ローマの皇帝。ストア派の哲学をはじめ学識にも長けていたことから、五賢帝の一人と称される。禁欲主義を美徳とする。著書に『自省録』がある。

最初、この言葉を見たときには「え、ひきこもりのススメ!?」とびっくりしてしまいました。

アウレリウスによると、人は疲れたらすぐ海や山にひきこもるけれど、本当にひきこもるべき場所は自分の魂の中だと言うのです。それ以上にくつろげる場所はないはずだと。

ここでいうひきこもりとは、決してネガティブなものではなく、自分を休ませる機会というような意味でしょう。いや、実際にひきこもりとはそういう営みなのです。

私の場合は長引いてしまったので、必ずしもよくはとられないのですが、これが短い期間の休息であれば、誰も否定しないはずです。

現にアウレリウスもそのようなことを言っています。ひきこもりは短くて基本的なものであるべきだと。

そう、ひきこもりが休息を意味するのであれば、それは長すぎず、かつ自分を再生するための意味あるものでなければならないのです。

そうすれば、魂の中にひきこもることは、むしろ有益でさえあります。もちろんその際、物理的に他者との接触を断つこともあるでしょう。

しかし、それは問題ではありません。ずっと誰かと、あるいは社会と接点を持ち続けなければならないという法律などないのですから。

おそらくそうでないと自分が不安になるのでしょう。だから無理に他者や社会と接点を持ち続ける。ところが、その中途半端な行為が、自分を真の意味で魂の中にひきこもらせるのを妨げているのです。

人間は弱い生き物です。心も身体も休ませないと、次に進めないこともあります。そういうときには、勇気を出してひきこもらないといけないのです。そうして孤独の中で鋭気を養ってはじめて、新たな第一歩を踏み出せるのだと思います。

たとえば、1年ほど休職する人がいます。でも、同じように休んでいても、戻ってきてから平気で働ける人と、ずっとそれを引きずる人に分かれます。

その違いは何か？　きっとポジティブに孤独を選んだ人と、そうでない人の違いだと思います。

ポジティブに孤独を選び、その後もまた元気に社会と関われるように、常に早め早めに選択すべきだと思います。**孤独にならざるを得ない状況を待つより、進んで孤独になる。**それがいつまでも人生を積極的に生きるためのコツでもあるのです。

瞑想としての孤独を説くハラリ

瞑想は現実からの逃避ではない。現実と接触する行為だ。私は毎日少なくとも二時間、実際に現実をありのままに観察するが、残る二二時間は、電子メールやツイートの処理やかわいい子犬の動画の鑑賞に忙殺される。

『21 Lessons　21世紀の人類のための21の思考』（柴田裕之訳、河出書房新社）

ユヴァル・ノア・ハラリ（1976―）。イスラエルの歴史学者。哲学者。歴史学の立場からAIやデータ至上主義といった現代の諸問題に取り組んでいる。著書に『サピエンス全史』『ホモ・デウス』などがある。

現代の哲学者の言葉も紹介しておきましょう。

『サピエンス全史』や『ホモ・デウス』によって一世を風靡《ふうび》した哲学者ユヴァル・ノア・

ハラリです。

もともと彼は歴史家ですが、『ホモ・デウス』以降は未来の予言をしており、また本人も哲学者と名乗り始めています。現に先ほど言葉を引用した最新の著書では、肩書に哲学者が加わっています。

そのハラリは瞑想の実践者のようです。21のテーマについて書かれた最新の著書の最後の項目がまさに瞑想です。そしてその意義について実体験を込めて詳しく記しています。

彼の実践する瞑想は「ヴィパッサナー」というもので、他の瞑想と同じく足を組んで目を閉じ、無心になることを求めるものです。何もしないように。そうすることで、自分に起こっている瞬間瞬間の現実を観察することができるからです。

最初は鼻から出たり入ったりする息にすべての注意を向け、次第に体中の感覚に注意を向けるようにしていきます。そうしてはじめて、自分は外の世界の出来事に反応しているのではなく、あくまで自分の身体の感覚に反応しているにすぎないことに気づくようになると言います。

では、そんなことをしていったい何の得があるのか？

ハラリに言わせると、自分自身と人間一般について、それまでの全人生で学んだことよりも多くを学べたそうです。そしてその経験がなければ、『サピエンス全史』も『ホモ・デウス』も書けなかっただろうとまで言うのです。

おそらくこれは本当なのでしょう。なぜなら、ハラリの瞑想は、まさに他の哲学者たちも説いてきたポジティブな孤独の一実践にほかならないからです。

ハラリは少なくとも毎日2時間瞑想することで、孤独な時間を過ごします。もっと長期の瞑想修行に出ることもあるようです。そうして自分と向き合う時間をつくっているのです。

瞑想ですから、余計なことは考えていないわけですが、それでも自分という存在をありのままに観察しているということは、本来の自分と向き合っていることでもあります。しかも日ごろ気づいていない自分の姿ですから、もしかしたら自分の本質といってもいいのかもしれません。

それにしても、なぜＡＩの危険性やデータ至上主義を批判するハラリが瞑想を勧めるのか。

それは私たちのアイデンティティをアルゴリズムが決めてしまう前に、自分自身が決め

るべきだと考えるからです。その手段の一つとして瞑想を位置づけているのです。

考えることで自分を知るのも一つの方法ですが、**あえて考えないことで見えない本当の自分を見るのも、自分を知るためのもう一つの方法**であるように思います。

その点では、瞑想の意義を認めるかどうかは別にして、ハラリの言うことにも一理あるように思えてなりません。

第5章

ポジティブな孤独のレッスン

（7つのステップ）

実践！　孤独を強さに転換する方法

段階的にトレーニングする

本書を通じて、ポジティブな孤独がどれほどいいかということについては、よくわかっていただけたかと思います。

問題は、どうやってその境地に至ることができるかです。多くの人は孤独を恐れていますから、いきなりそれをポジティブなものに転換しましょうといっても、とまどうはずです。

そこで、段階的にトレーニングすることで、徐々にポジティブな孤独を手にするための方法をお伝えしたいと思います。

ここでは、私の経験も踏まえた7つのステップを紹介します。いずれも私の実践を踏まえたものばかりです。一つずつ、具体的に見ていきましょう。

●ステップ1
好きなことを
見つける

●ステップ2
情報から
離れる

●ステップ3
他人のことを
気にしない

●ステップ4
断る

●ステップ5
一人で楽しむための
方法を考える

●ステップ6
短時間
一人で過ごす

●ステップ7
長時間
一人で過ごす

【ステップ1】 好きなことを見つける

一人でできることが前提

孤独の練習のために、好きなことを見つけるというのは、意外に思われるかもしれません。でも、これなら簡単にできるはずです。

だからこそ最初のステップにしているわけですが、要は孤独な時間を楽しく過ごすための下準備みたいなものです。

孤独な時間をポジティブに過ごすには、楽しむための何かが必要です。楽しいというのは、物事を行う究極の動機になり得ます。

普通は、孤独は楽しくないものだと思われているだけに、そこに楽しみを見つけることが重要になってくるのです。楽しいことが嫌いな人はいませんから。

理想は、とくにそのようなことがなくても平気になれる状態ですが、やはり最初はそう簡単ではないでしょう。

たとえば趣味がある人はそれでもいいと思います。ただし、一人でできることが前提です。一人でできることを習慣化していくのです。

私でいうと、**「運動」「読書や勉強」「映画やドラマ鑑賞」「一人飲み」**です。

①運動

運動はチームスポーツだと一人というわけにはいきませんが、私の場合、ジョギングや筋トレをしているだけなので問題ありません。むしろジョギングや筋トレは、人に邪魔されたくないので、一人でやるほうが楽しみが増します。

何をしているかというと、日ごろ忙しくて見ることができないYouTube動画をチェックするのです。

ランニングマシーンを使って走っているので、そういうことが可能になります。これはもうテレビの時間を楽しみにしていた昔の子どものようなものです（いまはテレビを見る子どもは減っているようですが）。そしてその結果、一人で走る時間が好きになっていくのです。

そうやってYouTube動画を見ようと思っても、時にはその走る時間を使って自分と向き合うこともできます。

要は先に一人の時間を習慣化させることで、それを自分と向き合うポジティブな孤独の時間に仕向けることが可能になるという話です。

とにかく一人で過ごす時間を習慣化することが大事なので、そのきっかけとしてジョギングや筋トレなどの運動を使ってみてはどうかということです。

もちろん、チームスポーツでも個人で練習できることはあるでしょう。でも、一人で完結するようなものがあれば、よりいいように思います。

私もテニスにはまった時期があったのですが、どうしても壁打ちだけでは物足りなくて、対戦相手が欲しくなるのです。

そういうストレスから一切離れることが目的なので、マラソンやマウンテンバイク、あるいは流行りのボルダリングなど、個人として自分の理想を追い求める種目にチャレンジしてみるのもいいかもしれません。

いずれも次に私がやろうかと狙っているものです。

②読書や勉強

読書や勉強はもちろん一人でできます。

友だちと読書会をやるのでないと本が読めないとか、人と図書館に行かないと勉強できないなどという人がいます。かくいう私も学生時代はそうでした。

でも、いまはこれこそポジティブな孤独を過ごすための王道として、強い武器にしています。

どうしても部屋にこもってこういうことをするのが嫌な人や、にぎやかなほうがアイデアが湧くという人は、一人でカフェなどに行けばいいのです。にぎやかさがいいのは、視覚や聴覚に変化をもたらしてくれる点です。ふと見えたカップルの姿や、耳に入ってきた懐かしい音楽が、創造のきっかけになり得るのです。

だから私も、割とカフェで読書したり執筆したりすることは多いです。この場合、にぎやかさはＢＧＭみたいなものですから、何ら問題ないでしょう。ただ、知り合いがたくさんいる場所はお勧めしません。話しかけられたりして、なかなか集中できないからです。

ちなみに、今日もカフェで一人執筆しています。

③映画やドラマ鑑賞

映画やドラマ鑑賞も一人でできることです。

映画はデートなら二人で観るのかもしれませんが、あれはデートが主であって、映画を観るのが主ではないように思います。映画に集中できないからです。

私は感動的なシーンですぐ泣いてしまうので、人と行くのは嫌なのです。周囲を気にしていては楽しめませんから。

ドラマは家で観るのが普通でしょうから、一人が基本です。

私の場合、韓国ドラマが大好きなので、これさえあればいくらでも一人で過ごせます。

忙しくてそういうわけにもいかないのですが、少なくとも1日1話は観ています。

それがきっかけでK－POPを聴いたり、韓国料理をつくり出したり、さらには韓国語も勉強したりしています。おかげでどんどん一人で過ごす時間が充実してきています。

最近はインターネットで観ることのできる海外ドラマが増えています。

私の周りにも、ロシア語が好きでロシアのドラマを観ている人がいます。自分の好きな国のドラマを観ることで、文化や語学も学べて一石二鳥だと思います。

ぜひお気に入りのドラマを探してみてはいかがでしょうか？

④一人飲み

飲み会はどうしても誰かと一緒というふうに思いがちです。でも、一人飲みを楽しめるようになったらしめたものです。

そもそも無駄なおつき合いをしなくてすむようになります。みんなでパーッと騒ぎたいと思って飲むと、ろくなことがないからです。たいてい飲みすぎます。ストレスが溜まっていると絡んで口論になったりもします。

これに対して、一人飲みを楽しめるようになれば、すべてが自分次第なのです。人に合わせる必要はありませんし、飲みすぎることもありません。口論ももちろんあり得ません。

私は毎晩飲んでいるので、パーッと騒ぎたいなどと思うこともないのです。毎日ガス抜きをしているようなものです。

そうなると、お酒だけでなくおつまみにも凝りだしたりします。それがまた趣味になるのです。

私の場合、カクテルやエスニック料理をつくり始めました。

散歩で思考を楽しむ

こうして見てみると、私はほとんど毎日一人で楽しく時間を過ごしていることがわかります。

運動、読書、韓国ドラマ、お酒とおつまみ。それだけで仕事以外の時間は埋まってしまいます。むしろ人と何かをすることは、この一人のペースを乱されることを意味するので、あまりうれしくはないのです。

これは決して人間嫌いになったということではなく、あくまで一人も好きになったということです。

ここまでくれば最初のステップとしては十分すぎるでしょうが、**一人の時間を楽しめるようになる究極の状態は、思考を楽しむことです。**思考を楽しめるようになれば、人はいくらでも一人で過ごせるようになります。

そして実はそれこそが一人で時間を過ごすことの意義でもあります。誰かと何かをしているときはもちろんのこと、話しているときも、人はじっくり思考できていません。思考とはかなりの集中力を要する営みなのです。だから一人の時間が必要なのです。

そのためのトレーニングとして私がお勧めするのは**「散歩」**です。散歩する習慣をつけて、かつその時間を楽しめばいいのです。

どう楽しむか？　もちろん、景色を楽しむとか、新しい場所を知るなどの楽しみ方もありますが、ここで思考をするのです。

そうやって思考が楽しくなれば、一人でする散歩の時間自体が楽しくなります。健康にもいいし、何より簡単にできますから。

実は散歩は思考に向いています。身体を動かすことと、周囲の景色の変化が頭を活性化するのでしょう。

実際、古代ギリシアの逍遥《しょうよう》学派は歩いて授業をしていたといいますし、ドイツの哲学者カントが散歩を日課としていたのは有名な話です。日本でも京都学派の西田幾多郎が散歩して思索を繰り返した道は、「哲学の道」として観光名所になっています。

ぜひ、みなさんも自分だけの哲学の道をつくってみてはいかがでしょうか。

【ステップ2】 情報から離れる

SNSをやめてみる

次は、好きになるの反対で、嫌いになるというものです。いや、そこまできついものではないのですが、いままでやっていたことをいくつかやめなければなりません。

一番お勧めしたいのは、SNSを休む、あるいはやめるということです。

SNSで発信したり、人とつながることを面倒に思ったことがある人は多いと思います。いわゆる〝SNS疲れ〟です。でも、やめられないのが現実です。

とくに友だちの投稿に反応しないと、友情関係がなくなるかのような恐怖にかられるからです。

ただ、そんなことでなくなる友情は本当の友情ではありません。必要ならSNSでつながっていなくても連絡をとるでしょう。

仕事でも同じです。ＳＮＳで発信したり、コミュニケーションをとったりすると有利なのは間違いありませんが、その分、自分の時間をかなり犠牲にしていることに目を向けるべきです。

ＳＮＳでのつぶやきは、それがオープンなものである以上、人を意識したものです。その意味で本当のつぶやきとはいえません。

つぶやきとは、自分に向けて行うものでしょう。自分の思いを口にする、言葉にする営みです。そうやって自分と対話しようとしているのです。自分と向き合うために。

他者ではなく、自分と向き合うためには、真のつぶやきが必要です。だから**どうせつぶやくなら、むしろ日記を書いたほうがいいのです。**

ＳＮＳは他者の情報を得るには有効ですが、自分の情報を手に入れるための方法はなんといっても日記です。

私も備忘録的に日記をつけることがあります。その日に何があったかは手帳を見ればわかるので、主に自分が感じたことや思ったことを書き留めておきます。

特別なことがあったときなどは、とくに意識的に日記をつけるようにしています。記事や本を書くときなどに役立つからですが、それ以上に自分というものを客観的に見ることができるからです。

たまにそういう日記を見返すと、普段気づかない自分の側面や、忘れてしまっている自分の側面を発見したりします。時間を置いて客観的に見ることができるためです。

その意味では、日記は書いているときも自分と向き合うことができますが、あとから読み返すとき、より深く自分と向き合うことができるように思います。

日記を見返すときというのは、たいてい何か悩んでいるときだからです。そのとき、自分の客観的情報が役に立つのです。

情報はドラッグのようなもの

したがって、ここで私がお勧めする「情報から離れる」というのは、人の情報から離れるということです。

残念ながら人の情報を入手することと、自分の情報を入手することは、反比例の関係にあるように思います。だから世の中の情報から離れなければならないのです。

みなさんは本当の自分を知っていますか？

自分のことは自分が一番よくわかっているというのは嘘です。その証拠に、人から「あなたは○○だ」と言われて、ハッとすることのほうが多いのではないでしょうか。それは自分のことを知らない証拠です。

自分の分析なんて、大学生が就職活動時にやるくらいで、あとは転職するなどよほどの機会がない限りやらないでしょう。だから私たちは、自分がどういう人物で、どういう性格なのかは知らないのです。正確にいうと、忙しくてそんなことを分析している時間はないのです。

ただ、それはとてももったいないことです。自分にとって何が必要なのかもわからず、やみくもに生きているということになるのですから。

その意味では、情報は有益なのではなく、逆に有害とさえいえるでしょう。本当に大切なものを得る障害になっているのですから。

こうした理由から、私はあえて時代の流れに逆行して、情報から離れるよう説くのですが、その真意はなかなかわかってもらえません。

情報社会を生きるのに、「そんなことをしたら不利になるだけだ」、時には「デジタルディバイドに苦しむ人間の言い訳だ」とまで言う人もいます。

あるいは「情報が多すぎることの弊害はわかるけれど、それがないと退屈だ」と言う人もいます。だから手持ち無沙汰になるとすぐに、ネットサーフィンを始めてしまうのでしょう。

でも**人はある程度、退屈な時間に慣れる必要があります。そうでないと、情報社会の餌食になってしまうからです。**

極端にたとえるなら、情報はドラッグのようなもので、一度それに頼ってしまうと、もうそれなしでは生きていけなくなるのです。自分が空っぽだから、自分の外にある情報を求めるということです。

その場合、情報の質なんて問いません。刺激的であればあるほどいいのでしょう。退屈しのぎになるのですから。そしてその情報がどんなに高額でも、必死になって手に入れようとします。

こうして客観的に描写すると、哀れだなと感じる人も多いと思いますが、現代人のほとんどはみんなこんな姿に成り下がっているのです。自分では気づかないだけで。だからこそ自分というものをしっかりと持たなければなりません。

ちなみに、孤独な時間を楽しむための方法として、ステップ1で「読書」を挙げましたが、「読書とSNSなどのネットから情報を得ることは違うのか?」と思っている方もいるかもしれませんね。

もちろん、情報という意味では同じですが、私がここであえて区別しているのは、何のために情報を得るのかという目的の部分です。

SNSから情報を得るのは、いわば人のことを気にしているからだと思うのです。その意味で、孤独の対極にあるものだといえます。

これに対して**読書は、自分の心との対話であり、いわば自分のことを気にしている行為**だと思うのです。だから孤独になるには、スマホの電源を切って本を手にすることを勧めているのです。

【ステップ3】他人のことを気にしない

人と競争する必要はない

ここから一気にむずかしくなります。なぜなら、何かを好きになったり、物理的に何かすればいいのとは異なり、気持ちをコントロールしなければならないからです。他人のことを気にしないというのは、心の持ちようにかかっています。ただ、それが一番むずかしいのです。

人間には欲があります。欲はどこから来るかというと、人と比べるからです。

心理学者のアルフレッド・アドラーは、人と比べることをやめれば幸せになれると言います。これは誰しもが納得するのではないでしょうか。私たちが苦しむのは、無理な競争をするからです。

絶対勝てる競争に苦しむ人はいません。そもそもそんな状態なら競争しようとも思わないでしょう。

人は、自分にないものを求めますし、それが手の届かないものであればあるほど燃えるのです。競争とはそういうものです。

お金持ちに憧れる、高価なものを手に入れたい、高嶺の花を手に入れたい、外見を良くしたい……。そういう欲望があるからこそ頑張るわけですが、そう簡単に手に入るものではないだけに苦しむのです。

孤独を楽しめないのは、常に誰かと競争しているからだといっても過言ではありません。

もし、この世に自分しかいなかったら、人と競争する必要はありません。

その場合どうするか？　きっと人は自分自身と競争し出すのではないでしょうか。

人間というのは生きる存在です。生きるということは、発展や成長を意味します。前に進んでいくわけですから。その原動力となるのが理想なのです。人は理想に向かって突き進んでいるのです。

そのとき、もし自分より優れた他者に目が行ったとしたらどうでしょう？　あたかもその他者が自分の理想であるかのように勘違いしてしまうのです。

そうなると、その他者に勝つことだけが目標になってしまいます。でも本来、それは間違っているのです。

私たちがすべきなのは、自分の理想を追い求めることにほかなりません。それは人との競争ではなく、自分との競争なのです。

そのことに気づいた瞬間から、私たちは孤独を受け入れることができるようになります。そうしてはじめて、人は前に進むことができるようになるのです。

人と比べてばかりいるうちは、前に進んでいません。足の引っ張り合いをしているだけです。

アドラーも他者と競争するのではなく、自分の理想を追い求めよと言っています。それが成長のための条件だからです。

孤独になることは、他者との競争をやめ、自分の理想を追い求める旅を始めることをも意味するのです。

私も若いころはずっとそうでした。いつも他人と自分を比較して、他人に勝つことだけを目的にしていました。だからその人に勝ったら満足してしまい、あとは「ウサギとカメ」のウサギのごとくのんびり遊んでいたのです。気づけば、カメはみんな新しいステージへと進んでいるのに、自分は相変わらず昼寝しているという哀れな状況でした。

それは受験に勝っていい大学に入った後もそうでしたし、大きな会社に入った後もそうでした。いつも他人との比較の中で、その他人に勝つことだけが目的化していたのです。だから気づけば私は、いつも取り残されていました。

結局、他人との比較や競争が重要なのではなく、自分を高め続けることにこそ意味があると悟ったのは、大きな失敗をして、嫌というほどネガティブな孤独を味わった後でした。私の場合、哲学との出逢いもあって、なんとか大切なことに気づくきっかけを持てたからまだいいですが、普通はカメに負けて一生泣き続けるウサギになるのがオチです。

そうならないためにも、ぜひ他人との比較をやめて、一刻も早くポジティブな孤独を手に入れていただきたいと思います。

我が道を行くべし

他人と比較してしまうのは突き詰めると、常識にとらわれているからだと思います。みんなこうしている、みんなこれがいいと思っている。そんな悪しき「みんな幻想」にとらわれているのです。

でも、「みんな」とは誰でしょうか？

子どものころよく「みんなそう言っている」とか「みんな持っている」などと言って親を困らせたことはありませんか？　本当はみんななんていないにもかかわらず。

「みんな」という表現は、言い訳みたいなものなのです。そう言えば、自分が正当化されるからです。

日本には、みんなと同じであることがいいとされる風潮があります。でも、それは自分の個性を自分自身で押しつぶしてしまうための悪しき風潮でもあるのです。

みんなと同じであるということは、ある意味で安全です。いじめられることもないし、自分の言動に対して説明責任も生じない。ただそうすると、自分の個性を育むことはできません。あたかも本当にみんなと同じであるかのように、大多数の一人として個性のない人間を演じ続けなければならなくなるのです。それは楽かもしれませんが、なんら楽しいことはないでしょう。

「楽」と「楽しい」は同じ字を使いますが、正反対の意味を示しているのです。「気楽」の楽と、「楽しむ」の楽です。同じ字ですが、前者は消極的、後者は積極的なニュアンスが込められているといえるでしょう。なぜなら、気楽だというとき、人はどちらかというと他者の中に埋もれようとしているのに対して、楽しむというときは、人は前に出ようとしているからです。たとえ目立ったとしても。

人生を真の意味で楽しむには、たとえ目立とうが、多少面倒なことがあろうが、みんなの中に埋もれていてはいけないのです。人がどうしていようが、自分が求めることをしなければならないのです。

そのためには、他の人なんて気にしてはいられません。我が道を行くべきなのです。仮にそれが孤独な道であったとしても。

認められるより自分が何をしたいか

たしかに人間には承認欲求があります。誰かに認められたい、社会に認められたいという欲求が。それは必然的に他者との比較の中で行われることなので、どうしても比較、比較となるのですが、そもそも承認を求めなければいいのです。

なぜ承認がいるのか？

私たちはみんな自由です。独立した個人であって、誰かの奴隷ではないはずです。誰に認められなくても、堂々としていればいいはずです。

もっというなら、誰かに認めてもらうなんて、屈辱だとさえ思えばいいのです。

20世紀フランスの哲学者サルトルは、歴史上初めてノーベル賞を辞退した人物として知られています。私はこのエピソードを知ったとき、同じ哲学を生業とする人間として、しびれると同時に自らを恥ずかしく思いました。

当時の私なら、ノーベル文学賞なんていわれたら、もう舞い上がってしまって、お金を払ってでももらいに行ったでしょう。でも、サルトルは違ったのです。彼自身は生きたまま権威になりたくなかったわけですが、それはつまり**人から承認されて満足する人生ではなく、自分自身が納得する人生を送りたいという意志の表れ**だったのではないでしょうか。

その意味では、サルトルは徹底していたと思います。承認を求めるどころか、人から嫌われても平気なのですから。こんなに強いことはありません。


とくに日本人は空気を読むといわれるように、人の顔色を気にしがちです。

評価というものにびくびくしながら生きているのです。いまはとくに評価の時代ですから、何か目立ったことをすればすぐにネット上で評価されてしまいます。つまり、誰かがとやかく言うのです。たとえ有名人ではなくても。

だから評価なんて気にしないようにすれば楽になれるのです。上司や教師に評価されるならまだしも、見ず知らずの人たちに自分の言動を評価されているのですから、何も気にする必要はないはずです。

私はあるときからネット上の評価やコメント、あるいはアンケート結果さえも気にしなくなりました。基本的には見もしません。

仕事上やむを得ない場合は見ますが、人の考えはさまざまですから、あまり参考にならないのです。Aがいいという人もいれば、Bがいいという人もいる。つまり、そんなものを見ても、結局最後は自分で選ばないといけないのです。

どちらの意見が多いかということくらいは参考になりますが、それでも**数が多いほうが正しいとは限りませんし、何より自分はどうしたいのかということのほうがもっと重要だ**と思うのです。

これは必ずしも独善的になることを意味しません。独善的というのは、改善しないと問題がある場合に、それを改めないことです。その場合は別に評価など気にしなくてもわかるはずです。問題が生じるでしょうから。そうならないうちは、気にしなくていいということです。

ポジティブな孤独を手に入れるには、それくらいの図太さが求められるのです。

物事を評価で判断しない

もし何か練習方法があるとしたら、物事を評価で判断しないようにすることでしょうか。自分のことに限らず、何でもそうです。

この評価の時代には、なんでも数値化されてしまいます。お店やお勧めの商品から、仕事の成果まで。

たとえば、お店を選ぶときも星の数や口コミなどを信じなければいいのです。自分がいいと思えばいいのですから。外したくないという人もいますが、それによって人の評価や他人の意見を気にする自分になるよりよっぽどいいのではないでしょうか。

これはステップ2で強調した、ＳＮＳなどの「情報から離れる」ことにもつながってきます。

まず「他の人はどう思っているか」ということを気にする習慣を克服することです。

【ステップ４】　断る

受動的に過ごさない

さて、だんだんハードルが上がっていきますが、他人との比較をやめ、承認を求めなくなれば、次も簡単にできるはずです。

それは「断る」ということです。

誰かに何かを頼まれるということは、自分の時間やエネルギーをその誰かのために費やすことを意味します。

お金のために仕方がない部分もあるでしょうが、おつき合いならやめたほうがいいでしょう。

たとえば、ランチや飲み会などは自分のプラスになるならいいですが、それもよほど目的があるときだけでいいのではないでしょうか。

何か役に立つというレベルでつき合っていると、自分の時間がいくらあっても足りません。若いうちは経験ともいえますが、30代以降にもなればもういいでしょう。

その意味では、仕事さえも断る勇気が必要です。

仕事は黙っていても増えていきます。世の中には頼み上手な人がたくさんいます。それを全部引き受けるとどうなるか。まずパンクします。そうでなくても、自分の時間を確保することはむずかしくなるでしょう。

私も30代から40代後半までは新しいイエスマンシップを標榜《ひょうぼう》し、あらゆる依頼を引き受けてきました。もともとイエスマンというのは、目上の人や上司に無批判的に追従する人のことをいいます。その意味でネガティブなニュアンスがあるのですが、私はそれを新しいイエスマンシップとしてポジティブなものとして再定義したのです。何でも積極的に引き受けることで、かえって自分を高めることができると。そうして実際に、いかなる依頼も断ることなく、とにかくこなしてきました。

それはそれでよかったのですが、十数年そんな毎日を続けてきて、あるときふと疑問に思ったのです。本当に自分がやりたいことは何なのだろうかと。

人に頼まれたことを一生懸命やる。そして成果を上げる。世間から見れば、あたかもそれは私がやりたいことをやっているように思えるのでしょう。

ところが実態は異なります。私はただ頼まれたことをそつなくこなしているだけなのですあえていうなら、まさに〝NOのない、能のない人間〟になってしまっていたのです。

そんなことを言っても、「いや、あなたは十分成し遂げた」と励ましてくださる方が多いのですが、本当のことをよくわかっているのは自分だけです。

正直私は、多くの時間を受動的に過ごしてきました。言い方を換えると、物事をこなすために使ってきたのです。まるでノルマをこなすかのように。

そのことに気づいた瞬間、私はお人よしのイエスマンを卒業することを誓いました。

基本NOにする

もちろん、これまでの自分が間違っていたとは思いません。

人間には Yes, we can. と言って何でも引き受ける時期が必要でしょう。このスローガンはオバマよりも早く、私が最初に入社した伊藤忠商事で採用していたものです。お客様にまずできますと言ってから、やり方を考えろというわけです。

そのほうがお客様にとってもありがたいでしょうし、こちらも頭を使ってなんとか方法を見つけるでしょうから、どちらにもプラスになります。

ただ、一人の人間の人生に置き換えると、それを一生続けていたら、身体がもたないだけでなく、自分自身に向き合う時間を持つこともできません。

だからどこかの時点でＮＯと言わなければならないのです。

私の場合は50歳を前にして、ようやくその時期が来たと思っています。人生の限られた時間を有効に過ごすためには、選択をしていかねばならないからです。

自分にしかできないことなら、いくらでも時間を捧げますが、そうでない限りはＮＯと言おうと思っています。

みなさんもそうです。他の人でもいいなら、わざわざあなたがやる必要はないでしょう。それよりもあなたは自分と向き合うことで、もっと大事なことを発見すべく努めたほうがいいのです。

とはいえ、断れない人というのは、性格的にそれができない人でもあります。私自身がそうだったのでよくわかります。したがって、どうしようか迷っているようだと必ず引き受けてしまうのです。結果、すべて引き受けることになる。

これを避けるためには、基本ＮＯにすればいいのです。そうすれば、一気に依頼が減ります。そのうえで、それでも熱心に頼まれたときにはじめて考えればいいのです。

ただし、これから仕事を増やしていきたい人は別です。あくまで私のように自分の時間を持つために仕事を減らしていきたい人向けです。

大量生産タイプか職人タイプか

そんなことをしていたら仕事が来なくなるという人もいますが、何でも引き受ける便利屋より、いい仕事を選んで質の高い成果を出す人が評価されることもあります。どちらもメリットデメリットがあると思うので、これは仕事のスタイルの問題だと思います。

あえてわかりやすくいうと、大量生産タイプと職人タイプということになるでしょうか。**自分の時間を確保することも重視するなら、断然職人タイプの働き方をお勧めします。**ここでいう職人とは、自分の仕事にこだわり、質の高い仕事をする人のことです。だからこそ仕事を選ぶのです。無理もしません。

自分と向き合うことが、自分の仕事の質を高めるのをよく知っているからです。したがって、依頼を断っても信頼を失うことはないのです。

たとえば、第4章で紹介したアメリカの哲学者ホッファーは、そんな職人タイプの典型で、まさに「断る達人」だったといえるでしょう。何しろ恋愛の申し出は断るし、大学教授の職に誘われても断り続けた男ですから。日々の仕事も自分ができる量をきちんと選んでいます。

だからこそ孤独な生活を楽しむことができたのだと思います。もちろん彼は、いくら断っても人気者でした。

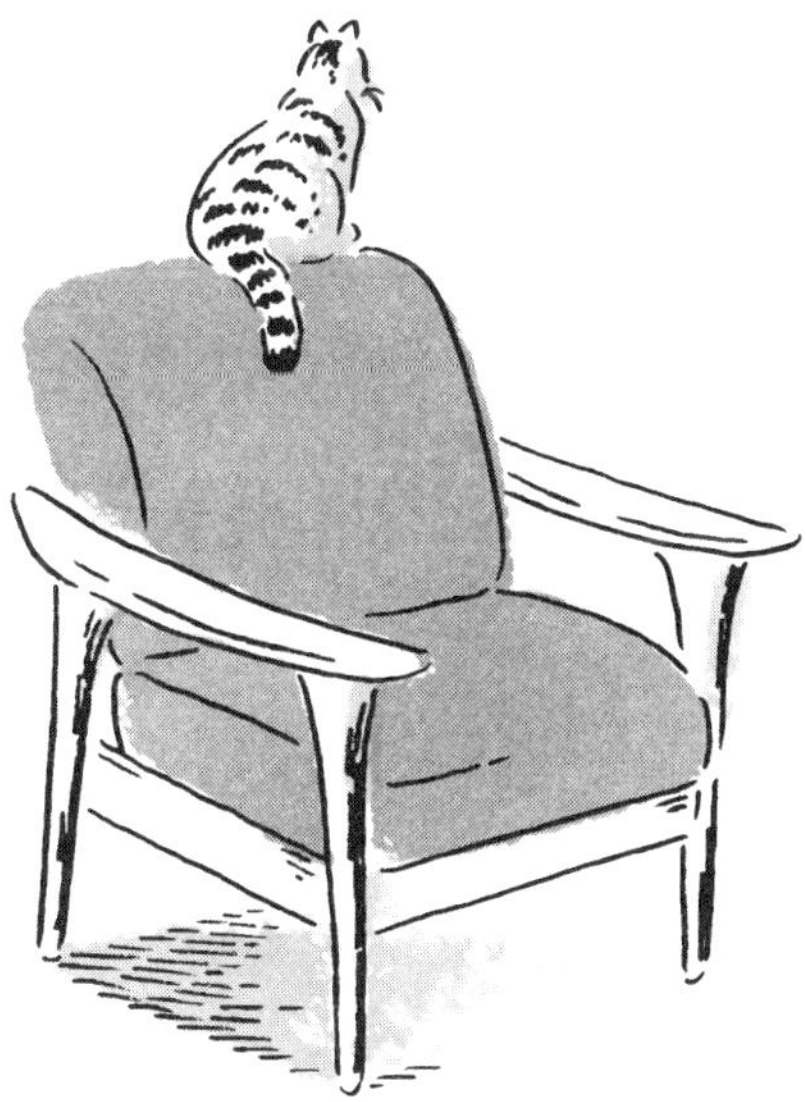

【ステップ5】　一人で楽しむための方法を考える

おひとり様用にアレンジする

5段階目にまでくると、もうかなり積極的に孤独を楽しむ状況に入っています。

これまでとは違って、何かをやめるとか、断るなどではなく、むしろ一人で楽しむための方法を考え、試すのです。つまり、**普通はみんなでやることを一人でやってみる**ということです。

あらゆる物事は、いくらでも一人で楽しむための方法を考えることができます。

先日、私がローカルテレビの情報番組に出演したとき、一人用の蒸し器を紹介するコーナーがありました。それを使えば、シュウマイや野菜など、何でも手軽に蒸すことができるのです。洗うのも簡単です。水でさっと流すだけ。ポイントは、それが一人用につくられているということです。家族用の大きい家電ではなく、一人用のお弁当箱を少し大きくして積み上げたようなサイズなのです。

それだけいま、おひとり様が増えているということでしょう。出演者の多くが、思わず「これ欲しい！」と叫んでしまいました。

私は一人暮らしをしているわけではないですが、仕事の関係で事実上はかなり独立した時間を過ごしています。作家をやっていると、夜遅くなることもあります。そのポジティブな孤独の時間には、こうしたアイテムが不可欠なのです。

これは商品の話ですが、自分でもあらゆることをおひとり様用にアレンジすることは可能だと思うのです。そうやって一人で何かをすることを楽しむということです。もしこれを一人でやるならどう楽しむか。そんなふうに考えてみるのです。

これまで他の人とやらないと面白くないと思っていたことが、ほんの少しの工夫で一人で楽しめる営みに変わります。

キャンプでさえそうです。本来キャンプは大勢で楽しむものだと思われていますよね。でも、いま一人でキャンプをする人のYouTube動画が結構アップされています。それを見ると、いかに一人キャンプが贅沢な大人の時間であるかがわかります。

自分のためだけに火をおこし、肉を切って焼く。そして自分のために乾杯するのです。こんなに素敵な時間はありません。

何より、そのすべての時間、私たちは自分と向き合うことができるのです。無駄なおしゃべりは一切ありません。人に気を使って愛想笑いすることもありません。ただひたすら、真摯《しんし》に自分の本音に耳を傾けるのです。そうして明日からの日常をより有意義なものにするのです。これこそポジティブな孤独の醍醐味です。

まずはいま人とやっていることについて、もし自分一人で楽しむとしたらどんなやり方があるのか考えてみてください。**あらゆることは一人でできるはずです。少しやり方を変えればいいのです。**対戦相手がいるものですら、コンピュータを相手にするなどできる時代です。

そもそも一人カラオケだって、最初はそんなコンセプトはなかったはずです。でも、一人で練習するとか、ストレスを解消するなどといった目的にすれば、むしろ一人のほうが楽しめることがわかったのです。だから流行っているわけです。こんなふうに、やり方だけでなく、目的を変えるだけで一人で楽しめるものになる場合もあります。

一人で楽しむのは自分へのご褒美

その次に、そもそも一人で過ごすプランを立ててみるといいと思います。

もし一人で過ごすことになったらどう楽しく過ごすかです。

最初は1日分、次に1週間分、さらに1か月、1年、一生と、だんだん長期のプランを立ててみるのです。

だからといって、必ずしも一生一人で過ごさなければならないわけではありません。あくまでシミュレーションです。でも、そのシミュレーションのおかげで、仮にある時期一人になったとしても、時間を有意義に過ごすことができるはずです。

そして、ポジティブな孤独を手に入れる訓練としては、このプランニングのプロセスは欠かせません。実際にどうやって楽しく孤独な時間を過ごすのかイメージできなければ、孤独になろうなどとは思えないからです。

逆にいうと、一人で楽しく過ごす方法を考える中で、そんな時間の過ごし方をしたいと思うようになってくるのです。

やり方は簡単です。いつも誰かとやっていることを、どうすれば一人で楽しむことができるのか。たとえば普段一人で居酒屋に行かない人なら、もし自分が一人で行ったらどんな料理をオーダーするのか考えてみるのです。

一人で行くということは、自分が好きなものだけを頼んで、かつそれを独り占めすることができるのです。もちろん、同じものを何度も頼むことが可能です。人に遠慮してデザートを後にする必要もありません。滞在時間も自分の自由です。

たったこれだけのことでも、なんだかいつもと違ってワクワクしてきませんか？

そう、一人で楽しむというのは、いつもと違う感覚を楽しむことでもあるのです。

私たちは嫌でも常に誰かに囲まれています。おつき合いもあるでしょう。そんな中で、たまに一人で居酒屋に行くのはある種、特別な出来事なのです。

そう、一人で楽しむというのは、決して寂しいことではなく、特別なことなのだと思います。自分へのご褒美と位置づけてもいいでしょう。デートで誰かにおごったり、誰かにプレゼントするのと同じです。自分にご馳走したり、プレゼントしたりするわけです。

一人でやるということは、自分しかそのことを知らないわけですから、少し大げさにいうと、あたかも世界の秘密を自分だけが独り占めしているような感覚さえ味わえます。

明日、世界に革命が起こることを自分しか知らないとしたらどうでしょう？　しかもその革命が起こるかどうかは自分次第だとしたら。もうワクワクどころの騒ぎではありません。これが政治の革命なら物騒ですが、私のいう革命は人生の革命です。

何か新しいことをやるというのは、自分の人生に常に変化をもたらしてくれます。それを革命と呼んでもいいじゃないですか。いや、むしろ呼ぶべきです。そのほうが人生を楽しめますから。

これまで一人でやらなかったことを一人でやるのは、あなたの人生に革命をもたらすに等しいのです。それだけすごい出来事なのです。


さらに、一人で楽しむことを考えるのがいいのは、その考えたことをすぐに実行できる点です。他の人のことを気にする必要がないのですから。考えたことは即実行できます。

そんなふうにとらえると、アイデアを考える際にもモチベーションが高まるはずです。もしかしたら、一人で楽しむためのアイデアを考えること自体を楽しめるようになってくるかもしれません。そうなったらしめたものです。

【ステップ6】 短時間一人で過ごす

平日に突然休んでみる

さて、いよいよ実践編です。ステップとはいえ、徐々に実践していかないことには、いきなり孤独生活には入れません。

最初は短時間から始めればいいと思います。「おひとり様、やってみようかな」と思ったら、まずは1時間くらいでもいいでしょう。普段一人では行かないところに一人で行ってみる、あるいは普段一人ではやらないようなことを一人でやってみるのです。

その中でも初級というか割とハードルが低いのは、休日を一人で過ごすというものでしょう。土曜日でも日曜日でもいいですが、まずは1日、できれば週末。つまり土日ともです。そして月曜を迎えるといった感じで。

週末を完全に一人で過ごすなんてカッコいいじゃないですか。しかも我慢するのではなく、その時間を楽しむわけですから。嫌でも平日は人とつき合わなければならないわけです。

あるいは家族のいる人は、毎週末一人で過ごすなんてことはできないでしょう。その意味では、たまには一人で過ごす週末があってもいいくらいです。

それでもまだ、週末に一人で過ごすのは割と当たり前なのかもしれません。一人暮らしならなおさらその確率は高いでしょう。

平日仕事で疲れ果てて、週末くらい一人で過ごしたいという人も多いかもしれません。ただ、それは忙しいから休養したいというだけの話です。

ポジティブな孤独というより、やむを得ない孤独です。したがって、トレーニングにも何もなっていません。

その点では、平日に休みをとるほうが、効果があるでしょう。

みなさんは平日に休みをとったことがあるでしょうか？

病気をしたとか夏休みとかではなく、ある日ふと普通の平日に1日休みをとるのです。

できれば突然くらいがいいでしょう。すると、まるで自分が仕事をさぼっているかのような罪悪感にかられると同時に、その罪悪感がもたらす蜜の味も楽しむことができます。

とくにいいのは、自分だけ特権階級にあるかのような感覚を味わえることです。みんなが通勤で向かうのとは反対の方向に向かう。いつもはごった返している場所を悠々と歩く。並ばないと入れないようなお店も貸し切り状態。

そういうときにいつも思うのですが、私たちは人と合わせることでいかに多くのものを失っていることか。みんなと同じ時間に同じことをするから混む。だから待たされる。人が多くて疲れる。値段も高くなりますよね。

だいたいお昼休みや帰宅時間、あるいは休日が同じように設定されているから仕方がないことではありますが、それならなおさら、自分一人になれるときはそうすべきだと思うのです。他の人に合わせたり、一緒に行動したりする必要はありません。

混んでいるお店でも、一人だけなら入れることはよくあります。

単独行動が好きな私は、いつも並んでいる人たちに申し訳ないなと思いながらも先に入れてもらう特権を味わっています。どこもカウンター一人分くらいは空いているからです。なぜなら、一人の客は長居しないので回転が速いのです。ランチ専用のお店を除けば、一人で来る客が少ないのでしょう。だから一人で行動するのはおいしいのです。

これをやり出すと、人に合わせて生きることがいかに自分の自由を奪っているかに気づきます。そうして一日を自由に過ごせば、もうポジティブな孤独が癖になるに違いありません。


一度やったら、次はそれを習慣化することです。

週に一度おひとり様デーをつくるとか。毎日ほんの少しでもいいから一人になって、じっくり自分と向き合う時間をつくるとか。

どれくらい続ければいいかは人によりますが、3週間頑張れば間違いないでしょう。

以前、ロビン・シャーマ著『3週間続ければ一生が変わる　あなたを変える101の英知』（北澤和彦訳、海竜社）を読んで実践してみたのですが、あれは本当だと思います。

私の人生でも3週間続いたことは、たしかに一生続くか、あるいは私の人生を大きく変えるきっかけになっています。ステップ1で書いた「運動」や、哲学もそうですね。

そのためには、**働きすぎていてはいけません。朝はギリギリに起きて、ろくに休憩もとらず仕事して、夜も残業でバタンキューでは、自分の時間などとれるはずがないからです。**

3M（マイペース・マイスペース・マイピース）

最近私は、一日の中で「3M」を確保することを提唱しています。「マイペース」「マイスペース」「マイピース」です。

マイペースはわかると思います。自分のペースでゆっくりやるということです。つまり自分の時間をとることです。

マイスペースは文字通り自分の場所を意味します。自分が一人になれる場所、落ち着ける場所を確保するということです。

マイピースは私の造語ですが、私のピース、平和ですね。つまり心の落ち着きを実感するということです。

いくら一人になれる時間や場所を確保しても、自分の心が落ち着かなければ意味がありません。**時間、場所、心の落ち着き。この三つが揃ってはじめてポジティブな孤独は有意義なものとなるのです。**

その訓練のためにも、ぜひ日常の中でほんの短い時間でもいいから3Mを確保して、実践してみてください。

多くの人は家に帰ってから、自分の部屋で実践することになるでしょう。家では逆に家族がいて落ち着かないという人は、カフェや図書館でもいいでしょう。

人がいると落ち着かない人は、インターネットカフェやシェアオフィスの個室などもお勧めです。

私の場合、日常的には帰宅後の自分の部屋が３Ｍ確保の場所ですが、一番充実した時間を過ごせるのは、本当は電車の中なのです。

ただ、いまは電車通勤ではないので、なかなか実現できません。その代わり、よく山口から東京に行くので、あえて飛行機ではなく新幹線を使っています。片道４時間半も電車に乗っていられるのですから。この時間はもっとも充実した孤独な時間になっています。

交通が便利になればなるほど、普通は少しでも速く移動したいと思いがちです。乗り換えをしまくって、飛行機を利用してというふうに。でも、そのせいでまとまった時間がとれなくなってしまいます。

それならば、ことわざ通り「急がば回れ」で、あえて時間をかけたほうがいいように思うのです。より充実した時間が過ごせるからです。ぜひ出張のときなどには、工夫してみてください。

ちなみに、哲学者の中での3Mのお手本は、なんといってもデカルトでしょう。旅をしたくなったら放浪し、思索したくなったら今度は一転して何日も部屋にこもるというマイペースぶり。そのために暖炉のある暗い部屋をマイスペースとしていたわけです。そこが一番思索に集中できたのでしょう。そして心を落ち着かせる。マイピースですね。

3Mの実践が偉大な哲学を生み出すきっかけになったといっても過言ではありません。私もぜひ見習いたいところです。私の場合は旅をしながらの思索ですが……。

週末海外一人旅のススメ

旅といえば、週末や、ちょっとした休暇をとっての海外一人旅などもいいかもしれません。

デカルトだけでなく、ヨーロッパの哲学者たちは、陸の移動ができたこともあって、さまざまな国をうろついています。

海外に行くことの利点は、異文化の中で自分を客観視できることです。

自分の心をはじめ、物事を客観的に分析するのが仕事の哲学者たちが、異国を旅するのはよくわかります。

一人旅がいいのもそうした理由からです。

せっかく海外に行っても、日本人同士おしゃべりばかりしていては、異国というプリズムを通して、自分と向き合う時間をとることができません。

車窓に映る見慣れぬ風景と自分の顔、あるいはカフェのウインドウに映る異国の街の風景と自分の顔。見慣れぬものと見慣れた顔の重なり。その二つの重なりをじっくり見つめるのが一人旅の醍醐味なのです。

自分で書いていて、もう明日にでも一人旅に行きたくなってきました。

一人旅は寂しいという人もいますが、実質的には一人ではありません。もう一人の自分と旅をしているのです。

それは自分と対話しながら旅をするということです。新しい景色を見たり、新しい経験をしたりすると、人は考えます。その新しい情報を既知の情報と比較し、整理しようとするからです。

たとえばこんな感じではないでしょうか。

「あ、この景色は自分が子どものときに見たものに似ているな」

「あのころは楽しかったな」

「でも、いまはなぜ楽しくないんだろう」

「人生に満足していないからかな」

「自分は本当は何がしたいんだろう」

この自分との対話が、自分について、そして世の中について深く考える機会になるのです。

一人旅はそんな思考の習慣を始めるいいスタートになると思います。

【ステップ7】 長時間一人で過ごす

海外留学はうってつけ

そうやって短時間一人で過ごすことに慣れたら、最後は長時間一人で過ごす練習です。これができるようになれば、もうポジティブな孤独は手に入れたも同然です。というより、楽しく長時間一人で過ごせるなら、もうそれはポジティブな孤独生活の完成ですから。いわば**「孤独のライフスタイル化」**です。

今度は、ある程度の期間一人で過ごしてみるのです。日本ではむずかしそうですが、海外なら可能かもしれません。

もし山にこもることができれば完璧でしょう。本当に自分一人の状態になりますから。

ステップ6で、週末海外一人旅をしてみてはどうかと書きましたが、ここではまず海外生活、たとえば短期留学をお勧めします。

とくに、誰も自分のことを知らない、言葉も通じない海外に行くと、必然的に孤独になります。そう簡単に行けないかもしれませんが、トライしてみる価値はあると思います。

私は仕事柄、研究のために海外に行くという機会がこれまで何度かありました。やはりそのつど新しい自分に出逢います。そして驚くのです。

いつもは感じない自分という存在を客観視し、これまでの人生を振り返ったり、これからどう生きていくかを考えたりします。意図的にそんなことを考えようとするわけではなく、自然とそういうモードになるものなのです。

しかも、短期の旅行と異なり、しばらくその生活を続けるわけですから、考えもまとまっていきます。そして帰国するころにはある種の決意をしているのです。「よし、これからはこう生きよう！」といった感じの。

孤独に磨かれ、生まれ変わるといったら大げさかもしれませんが、強くなるのはたしかです。

短期留学はキャリアアップにもなりますし、得るものが多いでしょう。人生１００年時代のこれからは、きっとこうした機会も増えるに違いありません。

究極は山ごもり

次に一番ハードルの高そうな山ごもりについて。昔から山は一人になるための場所でした。隠者はみんな山にこもって生活していたのです。

自らも孤独を好んで山にこもったことのある中国の著名な詩人李白が、その醍醐味を次のように詠んでいます。

余に問う　何《いか》なる意《こころ》ぞ碧山《へきざん》に棲むはと
笑うて答えず心おのずから閑《しず》かなり
桃花　流水　窅然《ようぜん》として去る
別に天地の人間《じんかん》にあらざる有り

ある俗人を設定し、その人の問いに李白が答えるような形になっています。意味は次のようになります。

誰かが私に対して、「あなたはどうしてこのような緑深い山に住んでいるのか」と尋ねる。

その質問に対して、私は笑っているだけだ。そんな問いかけには関係なくのどかな気持ちである。

桃の花びらが水に浮かんで、はるかに奥深いところに流れてゆく。

ここには人間世界とは違った別天地があるのだ。

中国文学者の斯波《しば》六郎さんは『中国文学における孤独感』（岩波文庫）の中で、この詩を引きながら、李白が「明かに孤独を意識していたのであり、しかもその孤独を寂しいとしないで、楽しいとしていたのである」と解説しています。

まさにそうだったのでしょう。山に住む人は、みんな孤独を楽しむためにわざわざその場所を選んでいるのです。

山中にポツンとある一軒家を特集するテレビ番組がありますが、住人はみんなそこで孤独を楽しんでいます。

さらにいうなら、そうやって俗世間と離れて一人生きることに、誇りさえ感じているのではないでしょうか。

前述の斯波さんは、李白の詩をこうも評しています。

「俗界は相手にするに足らないという心のひらめきが見られるのではなかろうか」

私も山の中に住めるようになったら、完全な孤独の達人として胸を張れることでしょう。残念ながらまだそのレベルには達していませんが。仕事もあるので。

ただ、東京から遠く離れた田舎に住むことで、俗世間から離れる時間を少しでも確保するように努めています。

また、周囲が山に囲まれているので、山に行く機会は必然的に増えています。

森林浴に行こう

もっとも、山にこもるのは別のノウハウもいるので大変かもしれません。それなら近くの森に行ってみるといいと思います。私も時々やります。森林浴ついでに。

森に一人で出かけるというのは、孤独にとってさまざまな効用があります。

森の生活者ヘンリー・ディヴィッド・ソローをご存じでしょうか？　森で自給自足の生活を送ったことで知られる思想家です。

彼の言葉が収められた『孤独の愉しみ方　森の生活者ソローの叡智』（服部千佳子訳、イースト・プレス）には、まさに森で孤独を楽しむための叡智が詰まっています。少し紹介しましょう。


「四季との交流を楽しんでいるかぎり、人生を重荷に感じることはない」

「森に行けばおおぜいの仲間に会える。みんな孤高の存在だ」

「森の中へ入り、仕事のことを忘れる。深みにはまらない」

「人間が生み出す音を遠ざけよ。そうすれば、自然なメロディーが耳に届く」

「最も生命力にあふれているのは、最も野生的なものだ」

「自然の一部となれば、息が詰まるほどのメッセージが森全体から伝わってくる」


いずれも解説さえいらない、明快な言葉ばかりだと思います。

いますぐにでも一人で森に行きたくなった人も多いのではないでしょうか。

日常を一人で過ごすようになると、自分との対話の時間は必然的に増えていきます。その時間を心の底から楽しめるようになったとき、ポジティブな孤独のためのトレーニングは卒業です。

あなたはあたかも孤独の中で思索を繰り返した哲学者たちのように、強靭な精神と真の自由、そして幸福を手に入れたことになるのです。

おわりに

本書を執筆している間、ある意味で私自身がポジティブな孤独を楽しんでいました。執筆という作業は孤独な営みです。ましてや、哲学の本なので、私自身が孤独やそれに関連する事柄について哲学しながらの作業でした。したがって、必然的に孤独な時間を過ごすことになります。

私の場合は、すでにある程度孤独な時間をポジティブなものとして楽しめるようになっていたので、今回の執筆はとても有意義なものに感じました。

とくに面白かったのは、推敲の際に自分が書いた箇所を読み直すたび、いままさにその状態だなと感じたことです。

たとえば、休日にカフェで一人執筆しているとき、「今日もカフェで一人執筆しています」という箇所を読んで、思わずニヤリと笑ってしまったこともあります。

周囲の人は、寂しい人だとか、おかしな人だなどと感じたかもしれませんが。でも、そんなことはお構いなしです。自分が充実した時間を過ごせていると思えばいいのですから。
それこそがポジティブな孤独です。

孤独の意味について考えることは、私自身が自分と向き合う時間でもあります。自分にとって孤独とは何なのか、その孤独を楽しむためにはどうすればいいのか。それはまるで新しいおもちゃを手にした子どもが、ワクワクしながらその遊び方を想像する幸せな時間のようでした。ここを押すと音が鳴るのかなとか、これは勝手に動くのかなとかいった感じで、ああでもない、こうでもないと孤独という対象と触れ合ったのです。

でも、本当に触れ合ったのは、実は孤独ではなく、自分自身だったというわけです。だから面白いのです。

私たちは何かに夢中になるとき、その何かについて真剣に考えるとき、常に自分に夢中になり、自分について真剣に考えているのです。目の前の対象を鏡のようにして。

孤独という鏡に映った自分は、時にはじめて見せる表情をのぞかせていました。不安と期待と心の静謐《せいひつ》が入り交じったような不思議な表情です。

それもそのはずでしょう。**「孤独とはまさに不安と期待と心の静謐が入り交じった状**

態」を指すのですから。

それが表情に現れたのは、きっと私が孤独とシンクロした瞬間だったのでしょう。

こうして私自身は、本書の執筆の過程で完全に孤独を自分のものにできたように思います。

この本で孤独こそが幸福をもたらすと書きましたが、言い換えると、いまようやく私は人生の幸福を手にしたということです。

人生を不幸にする元凶であるかのようにいわれ続けてきた孤独。その孤独な時間を幸福な時間に変えることができた人には、もう恐れるものはないはずです。人生は常に満たされることになるのですから。

ぜひ本書を手にとってくださったみなさんも、孤独を自分のものにし、人生100年時代といわれるこの長い時間を心豊かに生き抜いていただければ幸いです。

小川仁志

主な参考文献

ショーペンハウアー『孤独と人生』金森誠也訳、白水Uブックス、2010年
ユヴァル・ノア・ハラリ『サピエンス全史（上・下）　文明の構造と人類の幸福』柴田裕之訳、河出書房新社、2016年
兼好『徒然草』島内裕子校訂・訳、ちくま学芸文庫、2010年
ジョン・T・カシオポ＆ウィリアム・パトリック『孤独の科学　人はなぜ寂しくなるのか』柴田裕之訳、河出文庫、2018年
諸富祥彦『孤独の達人　自己を深める心理学』PHP新書、2018年
田中慎弥『孤独論　逃げよ、生きよ』徳間書店、2017年
河野哲也『人は語り続けるとき、考えていない　対話と思考の哲学』岩波書店、2019年
加藤周一・凡人会『ひとりでいいんです　加藤周一の遺した言葉』講談社、2011年
エピクテトス『語録　要録』鹿野治助訳、中公クラシックス、2017年
岡本太郎『自分の中に孤独を抱け』青春文庫、2017年
伊集院静『ひとりで生きる　大人の流儀9』講談社、2019年
熊谷高幸『天才を生んだ孤独な少年期　ダ・ヴィンチからジョブズまで』新曜社、2015年
三木清『人生論ノート』新潮文庫、1978年
エリック・ホッファー『波止場日記　労働と思索』田中淳訳、みすず書房、2014年
パスカル『パンセ』前田陽一・由木康訳、中公文庫、2018年
ヒルティ『眠られぬ夜のために　第一部』草間平作・大和邦太郎訳、岩波文庫、1973年
ニーチェ『人間的、あまりに人間的Ⅰ』池尾健一訳、ちくま学芸文庫、1994年
老子『老子』蜂屋邦夫訳注、岩波文庫、2008年
エーリッヒ・フロム『愛するということ』鈴木晶訳、紀伊國屋書店、1991年
ラッセル『ラッセル幸福論』安藤貞雄訳、岩波文庫、1991年
和辻哲郎『人間の学としての倫理学』岩波文庫、2007年
モンテーニュ『エセーⅢ　―社会と世界』荒木昭太郎訳、中公クラシックス、2003年
セネカ『生の短さについて　他二篇』大西英文訳、岩波文庫、2010年
マキアヴェッリ『君主論』河島英昭訳、岩波文庫、1998年
マルクス・アウレリウス『自省録』水地宗明訳、京都大学学術出版会、1998年
ユヴァル・ノア・ハラリ『21 Lessons　21世紀の人類のための21の思考』柴田裕之訳、河出書房新社、2019年
ユヴァル・ノア・ハラリ『ホモ・デウス（上・下）テクノロジーとサピエンスの未来』柴田裕之訳、河出書房新社、2018年
ロビン・シャーマ『３週間続ければ一生が変わる　あなたを変える101の英知』北澤和彦訳、海竜社、2006年
斯波六郎『中国文学における孤独感』岩波文庫、1990年
ヘンリー・ディヴィッド・ソロー『孤独の愉しみ方　森の生活者ソローの叡智』服部千佳子訳、イースト・プレス、2010年

小川仁志（おがわ・ひとし）

1970年、京都府生まれ。哲学者・山口大学国際総合科学部教授。京都大学法学部卒、名古屋市立大学大学院博士後期課程修了。博士（人間文化）。商社マン（伊藤忠商事）、フリーター、公務員（名古屋市役所）を経た異色の経歴。徳山工業高等専門学校准教授、米プリンストン大学客員研究員等を経て現職。大学で新しいグローバル教育を牽引するかたわら、「哲学カフェ」を主宰するなど、市民のための哲学を実践している。また、テレビをはじめ各種メディアにて哲学の普及にも努めている。NHK・Eテレ「世界の哲学者に人生相談」には指南役として出演。最近はビジネス向けの哲学研修も多く手がけている。専門は公共哲学。著書も多く、ベストセラーとなった『7日間で突然頭がよくなる本』（PHP研究所）や『ビジネスエリートのための！リベラルアーツ　哲学』（すばる舎）、『人生100年時代の覚悟の決め方』（方丈社）など、海外での翻訳出版を含めると、これまでに100冊以上を出版している。

孤独を生き抜く哲学

2020年4月20日　初版印刷
2020年4月30日　初版発行

著　者　小川仁志
発行者　小野寺優
発行所　株式会社河出書房新社
〒151-0051
東京都渋谷区千駄ヶ谷2-32-2
電話 03-3404-1201（営業）
03-3404-8611（編集）
http://www.kawade.co.jp/
カバー・本文イラスト　鈴木衣津子
装丁・本文デザイン　bookwall
組　版　一企画
印刷・製本　株式会社暁印刷

Printed in Japan
ISBN978-4-309-24957-5